각각의 계절

각각의 계절

권여선 소설

문학동네

|차례|

사슴벌레식 문답

정원의 이십 주기 추모 모임 단체 대화방에 나는 부영과 경애를 초청했다. 둘 다 들어와서 인사도 하지 않고 메시지를 올리지도 않았다. 다른 사람의 메시지를 읽는 것 같지도 않더니 잠시 뒤 경애가 대화방을 나갔다는 알림이 떴다. 그럴 줄 알았지만 그럴 줄 모르기도 했다. 나는 부영이 먼저 나갈 줄 알았는데 뜻밖에도 부영은 계속 나가지 않고 있었다. 그게 대화방을 나가지 않겠다는 의지처럼 생각되지는 않았다. 나가는 최소한의 행위도 하지 않는 방치나 무시, 또는 자신이 초청되었다는 사실에 대한 완전한 망각 같았다. 그렇게 부영은 끝까지 메시지를 읽지 않은 '1'의 숫자로 남아 있었다. 올해에도 정원의 추모 모임에 간 사람은 나 혼자였다.

이십 주기라 그런지 그동안 나오지 않던 정원의 대학 때 서클 친구들과 대학원 친구들도 몇 나왔다. 무슨 얘기 끝에 대학원 친구 중 하나가 고경애 선생은 안 왔네요, 했다. 그 친구는 고선생과 같은 대학에 재직하고 있다고, 정원씨하고 고선생이 아는 사이인 줄 몰랐다고, 세상이 이렇게 좁다고, 둘이 어떻게 아는 사이죠, 하고 물었다. 아무도 대답하지 않았다. 대답할 사람이 나밖에 없었다. 나는 같이 하숙한 사이라고 말했다. 아, 하숙, 그렇구나. 그 친구가 고개를 끄덕였다. 다른 친구 하나가 갑자기 생각난 듯, 참, 그 대학 법인화 문제로 말이 많았다고 하던데, 누구 통해서 들으니까 고선생이 정년 보장이 안 돼서 여기저기 뛰어다니며 알아보고 다닌다고 하더라고요, 했다. 그건 아마 잘 해결됐을 거예요, 하고 앞서 얘기한 친구가 말했다.

내 옆에 뚱하니 앉아 있던 서클 친구가 내 쪽으로 고개를 돌리고, 지금 말한 고경애 선생이 제가 아는 고경애가 맞겠죠, 동양사학과 고경애, 라고 물었다. 나는 얼른 맞는다고 대답했다. 그 고경애가 그 고경애라고. 그 친구는 살짝 표정을 일그러뜨리더니 조심스러운 말투로, 요즘 경애가 무슨 법사의 사상에 경도되었다는 얘기를 들었다고, 또 무슨 포럼에 참석해서 발표를 했다는 얘기도 들었다고, 하, 어떻게 그럴 수 있는지 도저히 믿기지가 않는다고 했다. 나는 애매하게 고개를 끄덕였다. 그 법사가 누구인지 그 포럼이 어떤 포럼인지 자세히는 몰랐지만 묻지 않아도 알 것 같았다.

모임은 한 시간 만에 끝났고 뒤풀이는 없었다. 아는 사람들끼리 각자 뒤풀이를 하는지 몰라도 아무도 내게 같이 가자고 하지 않았다. 같이 가자고 했어도 가지 않았을 것이다. 아니, 잘 모르겠다. 간곡히 권했으면 갔을지도 모르겠다. 나는 정원과 학과 동기도 아니었고 서클 동료도 아니었고 대학원과도 무관했다. 그저 같이 하숙한 사이였을 뿐이었다. 경애와 부영이 있었다면 셋이 뒤풀이를 했을 것이다. 돌아오는 길에 생각해보니 정원의 추모 모임에서 정원에 대한 얘기는 거의 듣지 못하고 경애에 대한 이야기만 잔뜩 듣다 온 것 같았다. 집 근처 전철역에 내려 부영에게 전화해봤지만 받지 않았다. 정원의 추모 모임에 다녀왔다는 문자를 보내려다 말았다. 경애에게는 전화하지 않았다. 십 년 전 그 사건 이후로 나는 한 번도 경애에게 전화한 적이 없다. 경애도 내게 전화하지 않았다. 그런데 왜 나는 십 년 만에 정원의 추모 모임 단체 대화방에 경애를 초청했을까. 모르겠다. 나는 휴대전화를 꼭 쥔 채 결국 아무 데도 전화할 데가 없다는 사실을 깨닫고 오래전처럼 쓸쓸해졌다.

지방에서 서울로 올라온 대학 신입생들은 낯선 공간에 던져진 새끼 오리들처럼 초창기에 대학가에서 함께 지낸 친구들을 오래도록 잊지 못한다. 신입생 시절 우리 넷은 같은 하숙집에 들어 두 명씩 같은 방을 썼다. 부영과 정원이 이층 끝 방에 살았고 그 옆방에 경애와 내가 살았다. 그래서 술을 마시고 떠들썩하게 놀 때면 늘 끝 방인 부영과 정원의 방에서 놀았다. 그들이 자리를 제공하고 뒷정리까지 하는 게 미안해서 처음엔 경애와 내가 소주와 막걸리를 사 들고 갔지만 점점 그런 것에 신경쓰지 않아도 될 정도로 거리낌이 없어졌다. 우리 사이에서는 돈 있는 사람이 베풀면 돈 없는 사람은 누리면 됐다. 이상하게 베푸는 쪽은 주로 부영과 정원이었고 누리는 쪽은 경애와 나였다. 방도 술도.

부영은 성격이 시원시원하고 통이 커서 늘 우리의 리더 노릇을 했는데, 리더로서의 자의식도 없는데다 리더의 권위를 도전받아도 개의치 않고 부디 나 대신 누가 리더 좀 해줘 하는 식의 임의적이고 편안한 태도를 취했기에 더 리더로서 적합했다. 툭하면 우리를 구박했지만 우리에게 구박도 잘 당했다. 우리 모두 부영을 믿고 의지했지만 룸메이트인 정원이 특히 그랬다.

정원은 상냥하고 조심성이 많고 무서움을 잘 타는 성격이었지만 때로는 급작스러운 광기나 충동에 몸을 맡겨 우리를 놀라게도 했다. 정원은 '자유'나 '해방'이 들어간 시나 경구, 노래 가사 등을 많이 외우고 있었는데 특히나 그 말을 전공인 불어로 발음할 때면 마치 감전이라도 된 듯 온몸에 미세한 경련을 일으키곤 했다. 그러면 우리 또한 그 유려한 발음에 감탄해 덩달아 몸서리를 쳤다. 그러나 평소의 정원은 리본이 달린 작은 꾸러미에 포장되어 어딘가로 배달되기를 기다리는 어여쁜 선물 같았고, 부영은 그런 연약한 룸메이트에게 '언니스러운' 강한 책임감을 갖고 있었다. 자기는 제멋대로이면서 정원이 제멋대로 굴다 상처받는 것은 견디지 못했다. 감싸면서 단련시키려 했고 아끼면서 통제했다. 정원이 저거 너무 순진해서, 정원이 걘 너무 고지식해, 라는 말을 자주 했지만 그러면서도 정원의 순진함과 고지식함을 교정하기보다는 보존하려 했다. 정원만의 스타일을 허물어뜨리지 않으려 했다. 누가 봐도, 있는 그대로 지켜준다, 그런 느낌이었다.

나의 룸메이트인 경애는 정원과는 다른 의미에서 친절하고 부드럽고 예의발랐다. 정원처럼 자유나 해방 같은 것에 열광하지는 않았고 오히려 규칙적인 일상을 지키려고 노력하는 편이었다. 자기 얘기를 별로 하지 않고 존재감을 드러내지 않아 처음에는 선뜻 가까워지기 어려웠지만 침착하고 인내심이 강한데다 나의 퇴폐적이고 불규칙한 생활을 가능한 한 용인해주고 내 괴벽도 잘 받아주는 편이라 같이 사는 데 큰 문제가 없었다. 그럼에도, 아니 그래서인지 몰라도 어느 순간, 얘가 나를 참아주고 있구나, 묵묵히 견디고 있어, 하는 느낌이 강하게 엄습할 때면 나는 숨이 막힐 만큼 높고 단단한 벽을 느끼곤 했다. 하지만 당시의 나는 무턱대고 믿었다. 뭐니 뭐니 해도 우리는 룸메이트인데다, 어쩌면 경애와 대척되는 나의 엉망진창인 삶의 방식이 경애의 높고 단단한 외벽을 뚫고 부영과 정원은 모르는 경애만의 어떤 내밀한 지점으로 파고들어가는 치트 키가 될 수도 있다고 말이다. 예를 들어 나는 경애가두 손을 꼭 잡고 입가를 천천히 올려 미소 짓는 게 엄청난 당황의 표식인 것도 알았고, 웬만하면 놀란 티를 내지 않는 경애가 진심으로 놀라면 표정은 굳은 채로 두 눈썹만 들썩들썩, 누가 보면 기분좋은 일이라도 있는 듯이 기묘하게 춤추는 것도 알았다. 무엇보다 좋지 않은 일을 당했을 때면 면벽을 하고 약간 돌출한 입을 오물거리면서 집요하게 자기만을 탓하고 용서를 비는 기도를 하는 것도 알았다. 누가 봐도 경애는 남에게 나쁜 짓을 하지 않을 애였지만, 그래서 나는 혹시라도 경애가 나쁜 짓을 하게 되면 절대 스스로 인정하지 않을 것도 알았던 것 같다.

나로 말하자면 대학에 입학하면서 갑자기 주어진 자유를 감당 못하고 분방하고 무책임한 생활에 빠져들었다. 수업은 거의 빼먹다시피 하고 모든 시위와 토론, 뒤풀이에 꼬박꼬박 참석했고 밤늦게 하숙집에 돌아와서도 누구든 붙잡고 더 마시려 했다. 처음엔 넷이 같이 마시다 결국 내 앞에 남는 상대는 하나였는데, 부영이 마셔주다 정원에게 물려주고 정원이 마셔주다 힘에 부치면 경애가 마셔주는 식의 내 음주 상대 노역이 거의 일주일 주기로 되풀이되곤 했다. 나는 관계에 취약해서 누군가와 갈등하거나 불화하는 상황을 견디지 못했고 그럴 때마다 재빨리 술로 도망치곤 했는데, 바로 그 유약한 변덕스러움 때문에 일 년 내내 누군가와 갈등하거나 불화했으므로 1학년이 끝나갈 즈음에는 거의 알코올중독자와 비슷한 행태의 삶을 살고 있었다.

2학년이 되면서 우리는 하나씩 하숙을 옮기고 자취를 하고 친

척집에 들어가며 뿔뿔이 흩어졌다. 그래도 한 달에 한 번씩은 꼭 만나려 했고 서로의 생일을 결사적으로 챙겼다. 한동안 나는 1학년 때의 버릇을 못 버리고 술에 취하면 나의 새끼 오리 친구들을 찾곤 했다. 경애는 특유의 인내심으로 나를 받아주었지만 내가 원하는 만큼의 적극적인 공감을 표하지 않아 심심하고 서운했다. 정원은 내 말을 의심 없이 믿어주고 내 편을 들어주며 함께 흥분하기 일쑤였지만 얼마 지나지 않아 미안해, 준희야, 네가 술 취해서 만나자고 하면 만나지 않겠어, 라고 울먹이며 선언했다. 그후로 정말 내가 술 먹고 건 전화는 조용히 끊어버렸는데 이런 정원답지 않은 단호한 대처에는 분명 부영의 조언이 있었을 것으로 생각되었다. 부영은 제멋대로 내 전화를 받거나 안 받았다. 만나면 어어 하며 대충 듣는 시늉만 할 때도 있었지만 그 인간이 아주 미쳤네 미쳤어 우리 준희 어쩌냐 하며 격하게 공감할 때도 있었다. 그러다 마침내 부영마저 더는 버티지 못하고 사냥감을 잡듯 내게 매서운 말을 획획 쏘아 꽂는 날이 왔다.

진지하게 묻는다, 준희야. 너한테 나는 뭐냐? 정원이하고 경애는 뭐냐? 너는 진짜 술 먹으면 궁중 비화에 나오는 이상한 내시나 상궁들 있지, 딱 그렇다. 갈등과 암투만 먹고 사는 인간 같다. 거기에 상관없는 우리까지 휘몰아 넣는다. 준희 너도 다 알면서 그런다. 어렸을 때 아무도 안 받아줘서 뒤늦게 응석 부리는 건 알겠는데, 한 일 년 반 했으면 됐지, 우리 이제 곧 3학년이 될 텐데 더 질질 끌래? 그래, 너도 뭐 언젠가는 질릴 날이 오겠지. 난 그래서 별로 네 걱정은 안 한다. 너는 잘 살 거다.

종합하면 이런 요지의 말들이었다. 아, 세상 무서운 년! 나는 술 먹고 점점 부영에게뿐 아니라 누구에게도 전화하지 않게 되었다. 공중전화 앞에 줄을 섰다가도 내 차례가 되면 쓸쓸히 돌아서곤 했다. 누가 그런 사람이 되고 싶을까. 갈등과 암투만을 먹고 사는 인간이. 새끼 오리 친구들에게 전화를 못하게 된 후로 나는 술 먹고 자주 다쳤다. 낯선 고립감이 이리저리 쏠리면서 신체의 균형을 망가뜨리는 것 같았다. 술에서 깨고 나면 어딘가 욱신거렸고 팔꿈치나 무릎에 피딱지가 앉아 있었다. 어렸을 때의 다친 마음이 뒤늦게 몸으로 드러나는 것 같았다. 하지만 부영의 말대로 응석받이였던 나는 살아남았고 부영이 그토록 지키려 했던 정원은 어떤 응석도 없이 갔다. 그리고 정원이 떠난 지 이십 년 되는 날 밤 오래전의 내 못된 술버릇이 모조리 도졌다.

전철역에서 곧바로 들어가 집구석에서 술을 마셨으면 좋았을 걸 굳이 집 근처 술집을 기웃거리다 어딘가 쑤시고 들어간 게 문제였다. 소주를 반병쯤 비웠을 때 부영에게서 〈다녀왔냐 난 괜찮다〉는 거두절미한 메시지가 왔다. 내가 〈응, 잘 다녀왔어. 네가 괜찮다니 다행이다〉 하고 보냈지만 더이상의 응답은 없었다. 도대체 뭐가 괜찮다는 건지 몰랐지만 거기까지만 말하고 싶은 부영을 이해해야 했다. 여기서 그만 멈춰야 한다는 걸 알면서도 남은 소주를 비우는 동안 몇 번이나 부영에게 보낼 메시지를 작성했다 지웠다 했다.

〈부영아, 잠 못 자는 증상은 나았니?〉 〈두진씨는 나와서 어쩌고 있니?〉 〈두진씨는 무슨 일을 하고 있니? 무슨 일을 할 수나 있니?〉 〈이제 검은 양복들은 사라졌니?〉 〈부영아, 경애가 무슨 법사의 사상에 경도되었단다. 나는 모르는데 너는 그 법사를 아니?〉 〈부영아, 무슨 포럼은 아니? 거기서 경애가 무슨 발표를 했는지 아니?〉

소주 한 병을 새로 시키면서 혹시라도 술에 취해 부영에게 전화를 걸거나 이상한 메시지를 보내게 될까봐 휴대전화를 종료해 가방 깊숙이 넣었다. 이 년 전까지만 해도, 그러니까 두진씨가 풀려나기 전까지만 해도 나는 부영과 두어 달에 한 번씩은 통화를 하고 지내는 사이였다. 그즈음 부영은, 준희야, 내가 요새 잠을 못 잔다, 했다. 머리 수술하고 나서는 그렇게 밤낮없이 잠만 잤다는데 그때 미리 다 자둬서 그런지 죽어도 잠이 안 온다. 잠이 안 오면 곽두진 생각보다 정원이 생각이 그렇게 난다.

그 말을 들었을 때 나는 삼십 년 전 우리 넷이 함께 강촌으로 갔던 1박 2일 여행을 떠올렸다. 내가 요새 잠을 못 자 준희야. 그때 그 말을 한 사람은 부영이 아니라 경애였고, 그날 밤 경애는 결국 한숨도 못 자고 동이 트자마자 밖으로 나가 강변을 하염없이 돌아다녔다고 했다. 강가에는 안개가 가득했다고 했다. 그리고 여행에서 돌아오고 얼마 지나지 않아 경애는 소리소문도 없이 일본으로 건너갔다. 나중에 알게 된 사실이지만 경애는 그때 어떤 사건에 연루돼 급히 도피해야 했다. 일본의 지인이 마련해준 은신처는 학생들이 모두 빠져나간 겨울방학의 대학 기숙사였다고 했다. 텅 빈 기숙사 건물의 차디찬 구석방에서 경애는 불도 켜지 못하고 전기매트와 굳은 식빵으로 한 달을 인기척 없이 버티며 지내야 했다. 그때 경애는 그동안 한국에서 못 잔 잠을 몰아 자듯 한 달 내내 밤낮없이 잠만 잤다고 했다.

삼십 년 전 그 여행 이야기는 중국집에서 짜장면을 먹다가 나왔던 것 같다. 버스로 한 정거장 거리에서 하숙하는 부영과 내가 슬리퍼를 끌고 만나 왕도장인지 신성각인지에 갔고, 근처에서 자취하는 경애를 불러냈다. 돌아오는 일요일이 경애의 스물일곱번째 생일이었으므로 우리는 자연스레 그날 저녁에 어디서 뭘 먹으면 좋을지를 얘기했다. 생일 모임 멤버는 당연히 정원까지 포함해 넷일 예정이었다. 일요일 저녁이면 하숙촌 근처 술집이나 고깃집이 바글바글할 텐데, 그러게 누구라도 번듯한 자취방이 있으면 방에서 고기를 구워먹으면 좋을 텐데, 그런 얘기를 하다 부영이 문득 여행 이야기를 꺼냈다. 대성리나 강촌 같은 데 가서 고기를 구워먹자고, 술 먹고 바로 돌아오기 그러니까 하룻밤 자고 오면 어떻겠느냐고.

경애가 말도 안 돼, 했고 내가 너무 충동적이야, 했지만 따져 보니 실현 가능성이 없는 것도 아니었다. 경애는 삼 년 다닌 회사를 그만둔 지 얼마 안 되었고 부영은 이런저런 단체 일로 바빴지만 시간은 어느 정도 자유로운 편이었다. 나는 반년째 누군가의 자서전 대필 작업을 하고 있었는데 녹취를 푸는 일이 남아 있었지만 인터뷰는 끝난 상태였다. 문제는 정원이었다. 사대를 졸업하고 곧바로 발령받아 중등 교사가 된 정원은 그해 초까지만 해도 우리 중 가장 확실하고 착실한 삶을 살고 있었다. 그러다 어느 날 갑자기 연극을 하겠다는 뜬금없는 꿈을 품고, 제발 휴직을 하라는 우리 셋의 일치된 충고를 무시하고 교직을 단번에 때려치우더니, 예술대학원 입학을 목표로 돈독이 오른 사람처럼 주중이고 주말이고 가리지 않고 온갖 과외와 알바를 뛰면서 교사 월급의 서너 배이상을 벌고 있었다.

정원이는 스케줄이 안 될걸, 하는 내 말에 부영이, 정원이 지난주에 주말 과외 끊겼다더라, 했다. 어머, 어떡해, 하고 경애가 걱정했다.

아니, 뭐 정원이 말로는 연기 공부도 하고 대학원 스터디도 시작할 예정이었는데 잘됐다고 하더라. 벌써 새로 구하지는 못했을걸.

우리는 그러면 얼른 연락을 해보자고 했고 공중전화로 전화를 걸고 돌아온 부영이 싱글싱글 웃으며 말했다.

정원이 이거 오래 굶주렸네. 난리 발광 났다. 아주 지 생일이다.

난리 발광. 부영은 정확히 그렇게 말했다. 나는 요즘 대화방에서 정체불명의 생물체가 좋아서 미친듯이 움직이는 모양의 이모티콘을 보면 직접 보지도 않은 그날의 정원이 떠오른다. 자유인지 해방인지 모를 마법의 버튼이 눌려 난리 발광 난 정원의 모습이.

그리고 그 여행을 생각하면 내가 직접 보지는 못했지만 정원에게 전해들은 사슴벌레 이야기가 가장 먼저 떠오른다. 강촌 마을 숙소에 도착해 커다란 방에 짐을 들여놓고 정원과 내가 뒷마당에서 강을 바라보고 있을 때였다. 정원이 숙소 방을 비질하다 커다란 벌레를 발견한 얘기를 했다. 처음엔 휴지로 감싸서 밖에 내놓으려 했으나 벌레가 너무 크고 우람해서 휴지로 감싸기가 두려워 빗자루로 살살 밀어서 밖으로 쓸어냈다고 했다. 그런데 빗자루에 닿을 때마다 벌레가, 하고 말하는데 숙소 주인 여자가 지나가다 듣고 깜짝 놀라 물었다.

방에 벌레가 많아? 약을 쳤는데.

많진 않고요, 무지하게 큰 벌레 한 마리가 있더라고요.

정원이 벌레의 크기와 생김새를 설명하자 주인이 고개를 끄덕이며 말했다.

음, 사슴벌레네. 그럴 땐 비닐봉다리 있지? 봉다리에 쌀쌀 기어들어오게 유인해서 바깥에 떨궈주면 돼.

아, 그런 방법이 있었네요. 그런데 방충망도 있는데 도대체 그렇게 커다란 사슴벌레가 어디로 들어오는 거예요?

정원의 질문에 주인이 잠시 생각하는 눈치더니 이내 득도한 듯 인자한 얼굴로 대답했다.

어디로든 들어와.

그리고 가버렸다. 사슴벌레를 대변하는 듯한 그 말에 나는 실로 감탄했다. 너 어디로 들어와, 물으면 어디로든 들어와, 대답하는 사슴벌레의 의젓한 말투가 들리는 듯했다. 마치 가부좌라도 튼 듯한 점잖은 자세로. 그런데 나의 상상과 달리 정원의 말에 따르면 방에 있던 사슴벌레는 몸이 뒤집힌 채 계속 버둥거리며 빠른 속도로 움직여 다녔다고 했다.

약을 쳐서 그랬나봐. 정원이 사슴벌레에 빙의된 듯 양 손가락을 바르르 떨며 말했다.

그렇다면, 하고 내가 말했다. 사슴벌레의 등에 작은 휴지를 대고 양쪽 다리에 빗자루 싸리를 몇 개씩 매달아 너 대신 청소를 시켰으면 어땠을까.

정원이 어이없다는 표정을 지었다.

너 어떻게 그렇게 잔인해?

나 어떻게든 그렇게 잔인해.

정원이 씩 웃으며 해보자는 건가, 했고 우리는 해보았다.

인간은 무엇으로 사는가?

인간은 무엇으로든 살아.

강철은 어떻게 단련되는가?

강철은 어떻게든 단련돼.

너는 왜 연극이 하고 싶어?

나는 왜든 연극이 하고 싶어.

너는 어떤 소설을 쓸 거야?

나는 어떤 소설이든 쓸 거야.

정원과 나는 이런 대화법을 의젓한 사슴벌레식 문답이라고 부르기로 했다. 뒤집힌 채 버둥거리며 빙빙 도는 구슬픈 사슴벌레의 모습은 살짝 괄호에 넣어두고 저 흐르는 강처럼 의연한 사슴벌레의 말투만을 물려받기로 말이다.

떠오르는 또다른 장면에서 경애와 나는 방과 부엌을 잇는 어둑한 공간에서 담배를 피우고 있고 부영과 정원은 환한 방에서 얘기를 나누고 있다. 부영이 정원에게 예술대학원 오디션을 보려면 일단 우리 앞에서 먼저 연기를 해보라고 하자 정원이 기겁을 하며 미쳤느냐고 대꾸했다. 와이, 와이, 묻는 부영의 대응에 경애와 나는 담배 연기를 내뿜으며 저건 좀 아니지 않으냐고 쑥덕거렸다.

그럼 내년에 예술대학원 오디션 보고 연기 공부하고 대본 쓰고, 그다음 단계는 뭐냐? 부영이 물었다.

그렇게 이력을 쌓아나가야지, 한 작품 한 작품 해나가면서. 정원이 말했다.

이력을 쌓으면?

아직은 잘 모르겠는데 괜찮은 극단에 들어갈 수도 있고.

극단에 들어가면, 배우 할 거야, 연출 할 거야?

연출을 하면 좋겠지만 일단 입단하려면 이런저런 이력을 먼저 쌓아야……

그러니까 너의 궁극적인 꿈이 뭐냐고? 배우야, 감독이야?

나도 그게 불분명해. 정원이 말했다.

불분명하다고?

부영의 씨근거리는 기색이 느껴져 경애와 나는 불안한 시선을 교환했다.

정원이 네가 이렇게 답답하다. 생계는 힘들어도 네가 행복하게 연극을 한다면 우리는 열렬히 응원할 준비가 돼 있어. 근데 불분명하다고? 우리 이제 곧 서른인데……

부영이 다른 건 몰라도 나이, 학년, 그런 것에 대한 이상한 고정관념이 있다고 나는 생각해왔다. 한 일 년 반 했으면 됐지…… 우리 이제 곧 3학년이 될 텐데 더 질질…… 내게 아프게 꽂힌 말이 있어 더 그랬는지 모른다. 나는 참지 못하고 담배를 쥔 채 방으로 뛰어들어갔다.

부영이 너, 진짜 못 들어주겠다. 나이가 무슨 상관이야?

아니 왜? 난 정원이 상태가 궁금해서 그래. 도대체 상이 안 그려지니까.

나도 안 그려져 부영아, 라고 정원이 말했다. 난 그냥 과정이 재미있어. 장면이 하나 있으면, 관객들은 쓱 보고 지나가면 그만이지만, 그걸 쓸 때는 거기 들어갈 배경, 인물, 구도, 제스처, 대사 그런 걸 하나하나 상상하면서 다듬어가야 되거든. 빈칸을 메우듯이 차근차근 해나가는 그 과정이 난 좋아. 그러면서 알게 되고 느끼게 되고 경험하게 되는 게 너무 좋아.

그렇게 좋기만 하다 아무것도 안 되면? 배우 되는 재능 따로 있고 연출이나 감독 되는 능력 따로 있다. 둘은 아주 다른 파트라고. 그렇게 느슨하게 꿈만 꾸다 아무것도 안 되고 평생 아마추어로만 살아도 행복하겠냐? 한평생 난 연극 한다 그런 자부심만으로 버틸 수 있어?

정원이 뭐라고 대답하기 전에 내가 소리쳤다.

막 시작하는 단곈데 지금 그런 말이 왜 필요해?

경애도 슬그머니 들어와 말을 보탰다.

그래, 부영아, 너무 나가지 마. 사는 거 너무 멀리 내다봐서 좋을 거 없어.

경애! 내 말이 그 말이야! 내가 의기양양해서 물었다. 경애 너도 그렇게 멀리 내다보고 사는 거 아니지?

아닌 것 같아. 경애가 대답했다.

나도 아니거든. 근데 부영이 쟤는 왜 정원이한테만 닦달이냐고.

아니야, 준희야, 하고 정원이 끼어들었다. 난 너희들하고 이런 얘기 하는 거 좋아.

그렇지? 이번에는 부영이 의기양양할 차례였다. 니들하고 얘하고 같냐? 난 정원이가 자기 삶을 좀더 적극적으로 이끌어나갔으면 해서 얘기하는 거다. 예전에 내가 연극하는 선배도 소개시켜줬잖아? 근데 너 그 선배한테 연락도 안 했더라. 주체적으로 사람도 만나고 진취적으로 너를 피알도 하고, 그건 의지의 문제잖아. 맞지? 그래야 막연한 상태에서 저지르는 실수나 시행착오 같은 걸 빨리 교정할 수 있잖아.

나한테 지금 필요한 게 그런 인맥 맺는 거랑은 거리가 좀 있으니까. 굳이 연락을 안 한 게 아니라 먼저 내 할일을 하나하나 해나가야 해서 그런 거야.

내가 몸을 내밀고 뭐라고 한마디하려는데 경애가 얼른 저녁 준비나 하자며 나를 부엌으로 이끌었다.

알았다. 그러니까 일단 현재로선 불분명하다, 어떤 확고한 상도 너한텐 없다, 그렇게 생각하면 되겠네. 부영이 말했다.

그렇지, 확고한 상은 없지. 정원이 말했다.

그렇지, 확고한 상은 없지. 그게 내가 경애에게 부엌으로 끌려가며 들은 정원의 마지막 말이었다. 그때 나는 부영이 정원을 지켜주는 방식이 예전과 달라진 것 같다는 생각을 했다. 그게 부영이 변해서인지 정원이 변해서인지 아니면 부영과 정원의 거리가 달라진 때문인지 알 수 없었다. 어쩌면 그때부터 이미 부영은 자

신이 도저히 손쓸 수 없는 먼 곳을 향해 치달려가는 정원을 보며
알 수 없는 불길함에 휩싸였는지도 모르겠다.

그날 삼겹살을 구워먹고 소주를 마시며 부영이 〈북한강에서〉라
는 노래를 했던가. 노래에 맞춰 정원이 기괴한 춤 동작을 했던가.

너! 부영이 이번엔 네 차례라는 듯 경애에게 물었다. 멀쩡히 잘
다니던 회사는 왜 때려치웠냐?

그냥……

뭐? 그냥? 이거 정원이보다 더한 년이네.

더 나은 데로 옮기려고 그만둔 거 아니었어? 내가 대신 변명해
주듯 물었다.

아니야, 그냥…… 그냥 그만뒀어. 경애가 고개를 숙이고 말했다.

와, 진짜 대책이 없구만. 부영이 한탄했다.

그럼 넌 앞으로 어떻게 살고 싶어? 정원이 다감한 목소리로 경
애에게 물었다. 생일이니까 바라는 걸 얘기해봐. 지금 제일 바라
는 게 뭐야?

내가 지금 바라는 건…… 경애가 고개를 들고 숨을 토하듯 말
했다. 모든 관계를 끊고 사는 거.

뭐? 내가 놀라서 소리쳤다.

그럼 우리랑도? 정원이 물었다.

응…… 아니…… 모르겠어…… 어디 먼 데로 떠나서…… 아

는 사람이 아무도 없는 데서…… 그렇게 다 끊고……

그게 무슨 소리야? 부영이 분개했다. 경애 너 충격이다. 무슨 관계를 끊어? 우리가 어떻게 관계를 끊고 사냐?

경애는 다시 고개를 숙인 채 말이 없었다. 금세라도 울 것 같은 표정을 짓고 있던 정원이 갑자기 자유나 해방이라는 말을 들었을 때처럼 몸을 바르르 떨더니 내게 눈을 찡긋했다. 나는 정원이 왜 그러는지 몰라 어리둥절했다. 정원이 내 귀에 대고 이렇게 속삭였을 때에야 알아차렸다.

무슨 관계든 끊어. 우리가 어떻게든 관계를 끊고 살아.

아……

그때 나는 '사슴벌레'가 불어로는 얼마나 아름다운 발음일까 생각했던 것 같다.

정원의 이십 주기에 나는 혼자 술을 마시며, '사슴벌레'라는 마법의 버튼 하나가 더 생긴 듯 눈을 빛내며, 무슨 관계든 끊어, 우리가 어떻게든 관계를 끊고 살아, 속삭이던 삼십 년 전 정원을 생각한다. 그로부터 십 년 뒤 정원은 자살했다. 그 당시 가깝게 지내던 연극계 동료들 얘기로는 우울증이 심했다고도 했고 누군가에게 배신을 당했다고도 했다. 생계가 힘들었다고도, 원래 이쪽 판이 지랄맞다고도 했다. 그 당시에는 정원이 자살한 이유를 어렴풋이 알 것도 같았고, 한마디로 표현할 수는 없지만 정원이 직면했을 무섭고 삭막한 삼십대 후반의 상황이 짐작되어 공감도 되었는데, 시간이 흐를수록 나는 점점 모르게 되었다. 누가 등 떠민 것도 아닌데 정원은 왜 교직을 던지고 연극판에 제 발로 걸어들어가 죽어서 나온 걸까.

삼십 년 전, 너는 왜 연극이 하고 싶어, 내가 물었을 때 정원은, 나는 왜든 연극이 하고 싶어, 라고 말했다. 어쩌면 나는 사슴벌레식 문답에 대해 심오한 오해를 하고 있었던 게 아닐까? 어디로 들어와, 물으면 어디로든 들어와, 말하는 사슴벌레의 대답이 나는 상대에게 구구절절한 과정이나 절차를 해명하지 않아도 되는 의젓한 방어의 멘트인 줄 알았다. 그러나 다시 생각해보니 그 문답 속에는 내가 읽어내지 못한 무서운 뉘앙스가 숨어 있었던 것 같다.

경애는 그렇다 치고, 부영이는 왜 내 전화도 받지 않는 거니? 내가 묻는다.

부영이는 왜든 네 전화도 받지 않아. 정원이 답한다.

어떻게 네 추모 모임에도 안 오니?

어떻게든 내 추모 모임에도 안 와.

부영이가 너를 얼마나 사랑했는데?

부영이가 나를 얼마나 사랑했든.

우리는 어떻게 이렇게 됐을까?

우리는 어떻게든 이렇게 됐어.

우리는 언제부터 이렇게 됐을까?

우리는 언제부터든 이렇게 됐어. 이유가 뭐든 과정이 어떻든 시기가 언제든 우리는 이렇게 됐어. 삼십 년 동안 갖은 수를 써서 이렇게 되었어. 뭐 어쩔 건데? 이미 이렇게 되었는데.

아……

어디로 들어와, 물으면 어디로든 들어와, 대답하는 사슴벌레의 말 속에는, 들어오면 들어오는 거지, 어디로든 들어왔다, 어쩔래? 하는 식의 무서운 강요와 칼같은 차단이 숨어 있었다. 어떤 필연이든, 아무리 가슴 아픈 필연이라 할지라도 가차없이 직면하고 수용하게 만드는 잔인한 간명이 '든'이라는 한 글자 속에 쐐기처럼 박혀 있었다.

삼십 년 전 강촌에서의 그날 밤 나는 숙소의 벽 쪽에서 잤고 내 옆에 경애가 누웠고, 그 옆에 부영이, 다른 벽 쪽에 정원이 누워 잤다. 내가 선잠에 들었다 놀라 소스라치며 사지를 푸드덕거리다 겨우 눈을 떴을 때 경애가 나를 마주보고 있었다. 나도 경애를 보았다. 경애가 옅은 미소를 지으며 더 자, 하고 속삭였다. 예전에 같은 하숙방에 살 때도 술 먹고 쓰러진 내가 선잠을 자다 무서운 꿈을 꾸고 땀을 흘리며 깨어나면 경애가 나를 보고 옅은 미소를 지으며 더 자, 하고 속삭여주곤 했다. 그러면 나는 간신히 마음을 가라앉히고 경애 너도 자, 했고 경애가 그래 준희야 잘 자, 말해주면 나는 안심하고 다시 잠들곤 했다. 그날도 나는 호흡을 고르며 약간 쉰 목소리로 경애 너도 자, 했다. 그러자 경애가 그래 준희야 잘 자, 하고 말해주는 대신, 내가 요새 잠을 못 자 준희야, 했다. 왜…… 왜 못 자…… 자야지…… 그러면서 나는 눈을 감았고 다시 잠들었다.

부영이 속이 안 좋다고 토할 것 같다면서 밖으로 나가는 소리에 깼다 또 잠들었고, 방에 돌아온 부영이 아니 그런데 내 카메라가 어디 갔냐고 중얼거리는 바람에 또 깼다 잠들었다. 창이 부옇게 밝아오는 새벽 즈음 정원이 알바 가는 시간인지 후다닥 깼다, 아니지, 나 왜 깼니, 하며 다시 잠드는 소리를 들었고, 잠결인지 꿈결인지 경애가 부스럭거리며 일어나 옷을 걸치고 밖으로 나가는 소리를 들으며 경애는 왜 안 자나, 왜 못 자나, 그런 생각을 하다 또 잠들었다.

그날 새벽 경애는 강변을 걸으며 무슨 생각을 했을까. 안개처럼 막막한 두려움에 휩싸여 얼마나 깊고 집요한 자책을 했을까. 자신이 저질렀을지도 모를 실수나 과오를 하나하나 되짚으며 그걸 만회하기 위해 얼마나 무거운 짐과 기나긴 고통을 감당해야 한다고 결심했을까.

아침식사를 준비하면서 내가 경애에게 제발 삼십 분만이라도 자라고 애걸했던 기억이 난다. 그럴게, 라고 경애가 대답했던 것도. 그러나 경애가 잤는지 어땠는지는 모르겠다.

삼십 년 전 여행을 기억하려 애쓰면서 내가 가장 이상하게 여기는 부분은 기차 안에서의 모든 장면이 까맣게 지워져 있다는 것이다. 우리 넷이 여행 계획을 세우며 가장 열광했던 대목이 고기를 구워먹는 것보다 기차를 타고 가는 것이었음에도 마치 우리가 깜깜한 터널을 통과해 강촌에 도착했다 다시 깜깜한 터널을 통과해 서울로 돌아온 것처럼 기차 안에서의 어떤 장면도 기억나지 않는다. 오로지 기차가 달리면서 내던 규칙적인 소음과 기차간 안을 가득 채우고 있던 시끌벅적한 소음만이 귓가에 맴돌 뿐이다.

여행을 다녀온 후 한동안 경애와 연락이 닿지 않자 부영은 경애가 드디어 우리하고 관계를 끊고 살려나보다, 그때 여행 가서 한 말이 진심이었네, 했다. 하지만 그때 경애는 일본에서 겨울잠을 자고 있었던 거였다. 그 긴 잠에서 깨어난 경애는 도대체 어떤 결심을 한 걸까. 어떤 삶을 살려고 했던 걸까. 곽두진씨를 만나 북으로 가겠다고 한 건 그 겨울잠이 찾아낸 유일한 길이었나.

십 년 전에 그 사건이 터지고 내가 전화를 했을 때 마치 좁고 굴곡진 터널을 통과하듯 부영의 목소리가 끊길 듯 이어지며 울려오던 게 기억난다. 터널의 곡면을 따라 구불구불 번지다 갑자기 쨍 터지다 이내 잦아들곤 하던, 삼십 년 전 기차 안에서의 기억처럼 장면은 없이 소리로만 남은.

내가 경애를 찾아가서 부탁…… 진술 좀 번복해달라고……

문은 안 열리고…… 제발 경애야…… 내 얼굴을 봐서…… 문 앞에서 인터폰으로…… 못하겠다고…… 아니, 안 하겠다고…… 못하는 게 아니라 안 하겠다고…… 뭐라고 하느냐 하면…… 팩트만 진술했다고…… 두진씨가 그랬던 건 팩트 아니냐고…… 곽두진이 북에 간 건…… 맞지…… 일본에서 활동했던 사람들…… 조총련계…… 북측…… 접촉이 있었…… 맞지…… 경애도 접촉했고…… 경애도 갔다 왔…… 그게 팩트…… 우리 남편이랑 같이……

자기만 빼준다고 했을까? 그래! 거기까진 좋다고! 그렇게 팩트 팩트 하는 인간이 거짓 진술을 했단 말이야! 조직이 실체가 있다고! 다른 참고인들은 그렇게 진술하지 않았는데, 조직에 대해서 실체가 있다고 진술한 유일한 사람이 고경애였다고!

준희야…… 난 변절이 그런 건 줄 몰랐다…… 그렇게 깔끔하고 확실하게…… 자기만 빠져나오는 기술인 줄…… 고문당하고…… 이러다 병신 되겠구나…… 고비마다 조금씩…… 조금씩…… 그렇게 흘리다보면…… 엮어서 가느다랗게…… 줄줄이 달려가고…… 준희야…… 난 변절이 그런 지리멸렬한 건 줄 알았는데…… 쌈박한 기획이더라…… 쟤들 기획에 자기 기획으로 응답하면 되는 거더라…… 여러 가지 팩트에…… 저쪽에서 원하는…… 결정적인 거짓만 딱 하나…… 은쟁반에 받쳐서…… 대령하면 되는 거더라……

네, 제가 봤습니다! 북에서 그 자리에 있었습니다! 곽두진과 아무개가 수령에게 교시를 받는 걸 목격했습니다! 지령을 받아 실행하는 실체가 있는 조직이었습니다! 저는 거기에서 탈퇴했습니다!

그러면 되는 거였던 거야…… 준희야, 피도 안 나고 뼈도 안 부러져…… 아무 일도 없다는 듯이…… 나와서 살던 대로 살면 되는 거야…… 이해하자면 이해는 돼…… 교수 자리 보전해준다고…… 요즘 세상에 교수가 간첩이면 되겠냐…… 자영업자 백수 활동가 야당 의원 보좌관…… 그런 사람들이 들어가는 게 그림이 되지…… 설득력이 있지…… 그게 기획의 힘이지…… 곽두진처럼 일본이나 중국 왔다갔다하면서 보따리장사 하는 사람…… 그런 놈들이 수괴이고 주동자여야 맞지…… 조직 이름도 그렇게 촌스러워야…… 신문에 대서특필되고…… 형량도 기하급수적으로 올라가고……

경애 집에 갔다 돌아와서, 내가 골백번을 생각해도 이건 아니다, 아닐 거다, 그래서 몇 번이고 전화를 했다. 전화를 하면 또 받긴 잘 받는다. 자기는 잘못한 게 없으니까 피하지 않는다는 식이지. 그런데 말이 똑같아. 누가 불러주는 것처럼 똑같다. 내가 무슨 질문을 해도 자기 할말만 똑같이 하고 끊는다. 부영이 니가 뭐라고 해도 나는 있는 그대로의 팩트만 진술했어. 더도 덜도 아닌 팩트만 얘기했어. 그게 내가 너희 부부한테 미안하지 않은 이유야. 이제 그만 전화해. 끊을게. 내가 또 걸면 또 똑같이 말한다. 그게 내가 너희 부부한테 미안하지 않은 이유야. 이제 그만 전화해. 끊을게. 경애가, 이 고경애라는 인간이, 나하고 곽두진한테 미안하지가 않다고, 미안하지 않은 이유가 있다고, 그렇게 얘기를 한다……

나는 문을 사이에 두고 안팎의 인터폰 앞에 붙어서서 대화를 나누는 경애와 부영을 상상해본다. 부영의 모습은 그려지는데 경애는 안개 속처럼 흐릿하다. 내가 전화로나마 부영의 목소리를 들었고 경애와는 통화를 하지 못했기에 그런지도 모른다. 내가 그 당시 경애에게 전화를 걸어 어떻게 된 일인지 묻고 경애의 얘기를 직접 들었다면 경애의 모습이나 표정이 조금은 더 또렷하게 떠오를까. 부영이 제발 경애야, 하고 떨리는 목소리로 부탁했을 때 경애는 어떤 표정이었을까. 스무 살 무렵 엄청나게 당황하면 그랬듯이 두 손을 꼭 잡고 입가를 억지로 올려 미소를 지었을까. 부영에게서 걸려온 전화를 받다가 너희 부부에게 미안하지 않다는 말을 내뱉고는 스스로도 경악해서 눈썹이 들썩들썩, 누가 보면 기분좋은 일이라도 있는 듯이 기묘하게 춤추었을까. 나는 사슴벌레가 된 경애를 상상한다.

야. 너 나한테, 두진씨한테 미안하지도 않냐.

부영아, 나 너한테든 두진씨한테든 미안하지가 않아.

어떻게 미안하지가 않아?

어떻게든 미안하지가 않아.

너 어떻게 이러냐? 니가 어떻게 이래?

나 어떻게든 이래. 내가 어떻게든 이래.

전화를 끊은 경애는 내가 룸메이트 시절 자주 본 면벽의 자세로 약간 돌출한 입을 오물거리며 오랫동안 자책의 기도를 했을까.

두진씨는 팔 년 형을 받고 실형을 꽉 채워 살았다. 가끔 부영은 내게 전화를 걸어, 주위에 검은 양복을 입은 남자들이 있다고, 아침부터 밤까지 지키고 있다고, 두진씨 면회 갈 때도 따라온다고, 누구 만날 때도 따라붙어서 누굴 만날 수가 없다고, 잠깐 뭐 사러 나갔다가도 양복 입은 남자들만 보면 깜짝깜짝 놀라 숨이 안 쉬어지고 머리가 터질 것 같다고 했다. 그래서 결국 머리가 터졌는지 부영은 남편이 구속되어 수감된 지 사 년 뒤에 뇌출혈로 입원해 수술을 했고 일주일 넘게 깨어나지 못했다고 했다. 그리고 깨어나서도 한 달 내내 잠만 잤다고 했다. 삼십 년 전에 일본으로 도피했던 경애가 그랬듯이.

두진씨가 나오기 일 년 전쯤에 내가 부영과 통화하면서 경애를 잊어버리라고, 제발 경애를 용서하라고 애걸하자 부영은 수술한 후로 기억이 많이 날아가서 괜찮아졌다고, 잊고 말고 용서하고 말 것도 없다고, 따지고 보면 경애의 잘못만도 아니고 이 썩어빠진 시스템 때문이 아니겠느냐고 했다. 그 말에 나는 얼마 전에 만난 친구에게서 들은 얘기가 떠올라 견딜 수 없었다. 아무것도 모르는 그 친구는 와우, 경애가 치아 교정을 하고 있더라고, 우리 나이에 참 대단하지 않으냐고 했다. 내가 그 말을 부영에게 전했던가.

아무리 차근차근 생각해보려 해도 추모 모임에서 들은 이야기 때문인지 취기 때문인지 내 정신은 급격히 혼탁해지고 제대로 된 사고를 할 수가 없다. 어떻게 그럴 수가 있나, 하다가 문득 그럴 수도 있지, 한다. 인간의 자기 합리화는 타인이 도저히 이해할 수 없는 비합리적인 경로로 끝없이 뻗어나가기 마련이므로, 결국 자기 합리화는 모순이다. 자기 합리화는 자기가 도저히 합리화될 수 없는 경우에만 작동하는 기제이니까.

술을 한 잔 마시며 나는, 어떻게 치아 교정을 하나, 탄식하다가 또 한 잔을 마시며, 그럴 수도 있다고 생각한다. 같이 활동하던 동료이자 친구의 남편을 감옥에 팔 년 동안 갇히게 한 진술을 하고도 자신의 입매나 치아 배열이 만족스럽지 않으면 쉰이 넘고도 치아 교정기를 몇 년이라도 달 수 있는 것이다. 무시무시한 조직 사건 연루자로 조사를 받으면서도 지켜낸 교수 자리인데 뜻밖의 법인화 문제로 규정이 바뀌어 자리가 위태로워지면 곳곳에 전화를 걸고 여기저기 뛰어다니며 방도를 알아볼 수도 있는 것이다. 무엇과 바꾼 자리인데 지키지 않을 수 있을까. 필요하면 무슨 법사도 만나고 무슨 포럼에 패널로 갈 수도 있는 것이다.

나는 주문을 외우듯 다시 사슴벌레식 문답으로 돌아간다. 어디로 들어와, 물으면 어디로든 들어와, 대답하는 사슴벌레의 말은 의젓한 방어의 멘트도 아니고, 어디로든 들어왔다 어쩔래 하고 윽박지르는 강요도 아닐 수 있다. 그것은 어쩌면 감당하기 힘든 두려움의 표현인지도 모른다. 어디로든 들어는 왔는데 어디로 들어왔는지 특정할 수가 없고 그래서 빠져나갈 길도 없다는 막막한 절망의 표현인지도.

너 어떻게 이러냐? 니가 어떻게 이래?

나 어떻게든 이래. 내가 어떻게든 이래. 이렇게 되었는데 어떻게 이렇게 되었는지 도무지 알 수가 없어.

어떻게 미안하지가 않아?

어떻게든 미안하지가 않아.

어떻게든 미안하지가 않다는 말은 미안할 방법이 없다는, 돌이킬 도리가 없다는 말일 수도 있다. 우리가 지나온 행로 속에 존재했던 불가해한 구멍, 그 뼈아픈 결락에 대한 무지와 무력감의 표현일 수도 있다.

정권이 바뀌어 암묵적인 사상적 사면의 분위기 속에서 한국으로 돌아와 대학에 자리를 잡게 된 경애는 자신이 찾아 들어온 틈이 다시 나갈 수 없는 절망의 입구인 줄 몰랐을 것이다. 다시 정권이 바뀌고 종북 프레임이 되살아나면서 요행히 들어온 줄 알았던 그 구멍은 재앙처럼 닫혀버렸다. 캐비닛에서 서류가 쏟아지고 사람들이 줄줄이 잡혀간다. 정원과 내가 삼십 년 전에 쳐놓은 괄호 밖으로 사슴벌레의 무시무시한 경련이 튀어나오는 듯한 환상이 나를 사로잡는다. 누군가 뒤집힌 채 버둥거리고 미친듯이 빙빙 돌며, 절대 과오를 인정하지 않겠다는 듯 무서운 속도로 어딘가를 향해 막무가내로 움직여가고 있다. 누구니…… 넌…… 혹시……

다음날 아침에 일어났을 때 윗입술이 통통 붓고 입 주변이 피투성이였다. 욕실 거울에 비춰 보니 대문니 두 개가 부러져 있었다. 누구에게 맞은 기억은 없고, 안개 자욱한 어둠 속에서 주머니에 손을 넣고 걷다 어딘가에 걸려 그 자세 그대로 넘어지면서 죽겠구나 싶던 아찔한 공포의 순간이 기억났다. 윗입술이 떨어져나갈 듯한 통증과 입에서 풍기던 진한 피 냄새도. 부러진 이는 입속에도, 주머니에도, 집안 어디에도 없었다. 삼십 년 전 부영의 카메라처럼 감쪽같이 사라져버렸다. 대신 가방 깊숙이 넣어두었던 휴대전화는 침대 머리맡에 보란듯이 놓여 있었다. 휴대전화를 열어보고 나는 깜짝 놀랐다.

〈준희야 난 두진씨하고 지방 소읍에 살러 왔어 정원이 죽고도 내가 살았다 우리가 만나지는 못해도 죽은 사람은 없잖아 경애 소식은 그만 전해줘 난 네가 걱정이야 잘 살아 제발〉

부영이 보낸 메시지를 읽고 이게 무슨 말인가 싶어 어리둥절한 순간 바로 위에 내가 보낸 메시지가 줄줄 떠 있는 게 보였다. 술에 취해 보낸 것이어서 하나도 기억나지 않았다. 맨 위로 올라가 내려오며 읽는 내 손이 떨렸다.

〈부영아 정말 괜찮은 거 맞지?〉

〈왜 전화 안 받아? 이제 나도 보기 싫은 거야? 언제든 편할 때 연락 줘!〉

〈너 도대체 뭐가 괜찮아? 뭐가 괜찮냐고?〉

〈그 쌍년은 이제 교정기 뺏겠네〉

〈그 미칭년이 완전 저쪼ㄱ으로 넘어갓다는데 머가〉

〈그 조지ㄱ 실처ㅣ가 잇엇던 거 마찌 그년 말ㅇㅣ 맞지〉

〈부영아 말해주ㅓ 내가 더는 못살게ㄷ어〉

〈내ㅣ가 죽ㅇ을 것 갓다고〉

〈부여ㅇ아…… ㅂ여ㅇ아〉

나는 눈을 가리고 싶은 참담한 마음을 견디며 내가 보낸 메시지들과 부영이 보낸 메시지를 오래 들여다보았다. 정원이 죽고도 내가 살았다…… 너 도대체 뭐가 괜찮아…… 죽은 사람은 없잖아…… 그 쌍년은 이제…… 경애 소식은 그만 전해줘…… 그년 말ㅇㅣ 맞지…… 잘 살아 제발.

제발 잘 살라는 부영의 마지막 말이 제발 잘 좀 살아달라고, 더 천하지는 말고, 그런 말로 읽혔다. 이제 부영과도 완전히 끝났다는 생각이 들었다. 휴대전화를 내려놓으며 내가 어쩌다 이 지경이 되었을까 묻다, 내가 어쩌다든 이 지경이 되었다고, 아니 애초부터 이 지경이었다고, 삼십 년이 넘고 사십 년이 되어도 나는 여전히 비틀린 내시와 상궁의 마음에서 벗어나지 못했다고, 나는 진즉에 내가 그런 인간인 줄 다 알고 있었다고 생각한다. 언제까지 질질 끌래, 부영이 묻고 나는 대답하지 않는다. 직시하지 않는 자는 과녁을 놓치는 벌을 받는다.

임플란트 시술을 받으면서 나는 사십 년 가까이 피우던 담배를 끊고 불면증에 시달렸다. 잠이 오지 않는 밤 캄캄한 어둠 속에 누워 오래전 기억을 떠올리려 애쓰다보면, 그래서 기억해내려는 무언가가 어슴푸레 떠오르기 시작하면, 이상하게 딱 그만큼 현재의 내 모습도 어슴푸레, 마치 다른 시간대에 존재하는 대상처럼 거리를 두고 그 실루엣을 드러내는 듯하다. 저기 있다. 내가 저기 웅크리고 있다. 느슨한 외양을 취하고 있지만 먹잇감을 노리듯 도사리고 있다가 어느 순간 도약해 덥석 물어버린다. 그 고경애가 그 고경애라고, 잘 알지도 못하는 정원의 서클 동료의 말에 재빨리 낙인찍듯 경애를 뱉어놓는 내가. 입술로는 경애를 용서하라며 이로는 경애를 물어뜯는 내가. 그러면서 동시에 부영까지 가차없이 물어뜯는 내가. 먼 훗날 지금 이 시기를 떠올리면 딱 저런 모양의 내가 떠오를 것이다.

그렇게 밤마다 과거를 기억하면서 현재를 기억하는 듯한 겹기억이 탄생한다. 아마 부영도 잠이 안 오던 밤에 정원을 기억하려 애쓰면서 동시에 자신의 현재를 함께 떠올리곤 했을지 모른다. 불면이 만드는 좁고 어두운 길을 따라 오래된 과거를 향해 하염없이 거슬러올라가다보면 그 끝에 지금의 내가 살고 있는, 그런 무서운 기억의 원환을 하염없이 더듬더듬 헤매 돌았을지도 모를 일이다. 어느 새벽 경애도 삼십 년 전 안개 가득한 강변을 걷던 과거를 기억하려 애쓰면서 현재 자신의 모습도 함께 떠올릴까. 그런 겹기억의 순간을 경애도 견디며 살고 있을까.

삼십 년 전의 그 여행을, 우리 넷이 함께 갔던 처음이자 마지막 여행을 나는 오래도록 잊지 못했다. 여행을 가기 전에 신이 나서 이런저런 계획을 세우던 일이며, 청량리 역사 앞에서 만났을 때 가방에서 카메라를 꺼내 흔들던 부영의 환한 얼굴을. 강촌역에 내렸을 때 서울행 기차를 기다리는 사람들로 역사 안이 엄청나게 붐비던 광경도. 끝없이 늘어선 긴 줄을 보고 정원이 말을 건네듯, 우리처럼 하룻밤 자고 가세요, 하던 것도, 얼마 전까지만 해도 직장인이었던 경애가 고개를 저으며, 안 돼요, 내일 출근해야 하니까요, 하자 정원이 활짝 웃으며, 저런 저런, 탄식하던 것도, 내가 정원에게, 너 왜 표정과 말이 일치하지가 않아, 타박하던 것도, 그 옆에서 메모지를 들여다보던 부영이 돼지고기 몇 근 사냐, 몇 근 사야 돼, 중얼거리던 것도.

우리가 어쩌다 이렇게 되었는지 알지 못한 채 나는 삼십 년 전의 그 여행을 오로지 즐거웠던 추억으로만 채색하려 애써왔다. 그러나 기차가 사라진 기차여행처럼, 나의 기억은 어둠 속에서 바라보는 터널 끝 원환처럼 비현실적으로 밝게 동동 떠 있다. 그렇게 내 기억은 이미 오래전 알지 못하는 어느 경로로 잘못 들어가 돌아나갈 길을 찾지 못하고 동그랗게 갇혀버렸는지도 모른다. 기억의 내용은 동일해도 그 뉘앙스는 바뀐 지 오래인데 말이다. 사슴벌레식 문답처럼.

어디로 들어와?

어디로든 들어와.

어디로 들어와 이렇게 갇혔어?

어디로든 들어와 이렇게 갇혔어. 어디로든 나갈 수가 없어. 어디로든……

갇힌 기억 속의 내 옆에 쌍둥이처럼 갇힌 지금의 내가 웅크리고 있다.

실버들 천만사

채운에게서 전화가 걸려왔을 때 반희는 발톱을 들여다보고 있었다. 왼쪽 둘째 발톱 끝이 탁한 우윳빛을 띠고 있었다. 노화 때문일 수도 있고 무좀 초기 증상일 수도 있었다. 체육관에서 반희는 운동화를 신고 일했고 샤워실과 탈의실을 청소할 때에도 슬리퍼를 신었다. 앞이 트인 슬리퍼라 문제였을까. 반희가 왼발을 가까이 당겨 들여다보다 멀리 놓고 보다 하는데 휴대전화 벨이 울렸다.

뭐해? 채운이 물었다.

그냥 있어. 너는?

반희의 물음에 채운은 곧바로 대답하지 않았다.

기분 안 좋아?

요즘 항상 기분이 별로야.

밖에 못 나가서 그런가보다. 다들 우울하다더라.

채운은 다시 잠자코 있었다. 반희 생각에 이건 그냥 안부 전화
가 아니라 할말이 있어 건 전화 같았다. 반희는 채운이 말을 꺼내
기를 기다리며 발톱을 내려다보았다. 아무래도 무좀이 맞나. 탈의
실의 축축한 발깔개를 디뎠을 때 깔개가 머금고 있던 물기가 슬
리퍼의 트인 부분으로 스며들고 습기 속 세균이 양말에 침투해
서……

원래 이번주 토요일이…… 목이 잠긴 채운의 목소리가 들려왔
다. 무슨 날이었어요.

반희는 이게 무슨 말인가 싶었다. 아니, 무슨 이런 말이 있나 생
각했다. 이번주 토요일은 아직 오지도 않았는데 채운은 이미 지나
간 날처럼 무슨 날이었어요, 라고 했다. 그것도 평소에 잘 안 하는
존댓말로. 반희는 이번주 토요일이 무슨 날인지 생각해보았다. 채
운의 생일도, 명운의 생일도, 병석의 생일도 아니었다. 채운이 알
리 없지만 그들 부부가 결혼한 날도 이혼한 날도 아니었다. 그러니
그게 무슨 날이든 반희 자신과는 아무 관련이 없는 날일 것이다.

그런데 취소됐어.

아. 그제야 반희는 이해가 되었다.

생일이나 기념일처럼 정해진 날이 아니라 무엇을 하기로 예정
한 날이었다가 취소가 되어 무슨 날이었던 것이 된 것이다. 요즘
은 다 그랬다. 뭐든 취소되고 뭐든 문을 닫았다. 반희가 일하던 구

립 체육관도 무기한 휴관에 들어갔다. 휴관하기 전까지 체육관은 코로나19가 아닌 무좀과의 전쟁을 벌이고 있었다. 회원들로부터 체육관 이용 후에 발톱 무좀에 걸렸다는 항의가 빗발쳤다. 그때만 해도 코로나19는 먼 위협이었고 발톱 무좀은 코앞의 적이었다. 관장의 특별 지시가 떨어진 후 헬스 팀장은 조회 때마다 질병관리본부의 용어를 모방해 밀접 접촉이 어떻고 감염 경로가 어떻고 떠들어댔고, 틈만 나면 청소 미화원들을 붙들고 고충을 늘어놓았다. 여사님들, 우리가 뭐 진단 키트가 있는 것도 아니고 감염자들을 무슨 수로 잡아내요? 무좀에 걸린 인간들이 버젓이 체육관에 와서 운동하고 샤워하고, 거기까진 좋아, 발을 아무데나 비비고 그 발을 손으로 만지고 그 손을 수건에 닦고 그 손으로 드라이어 만지고 드라이어를 발톱에 대고 말리고, 이게 참 공동생활 수칙을 위반해도 너무 심하게 위반한 건데 아무리 써붙여놔도 안 지키기로 작정한 인간들은 안 지킨다고. 그런데 여사님들은 진짜 무좀균의 진원지가 뭐인 것 같아요? 대여하는 수건이나 운동복은 별문제가 없는 걸로 나왔는데 탈의실 발깔개가 진짜 문제일까나? 그걸 당장 없애고 싶어도 그러면 또 손님들이 미끄러져 뇌진탕에 걸리네 어쩌네 하니까 내가 미치겠는데, 그걸 플라스틱 발깔개로 바꾸면……

그날이 무슨 날이었는지 엄만 모르지?

채운의 말에 반희는 정신을 차렸다. 아, 토요일.

모르지.

결혼식 날이었어요.

반희는 가슴이 턱 내려앉았다. 또 존댓말이었다. 채운의 나이
스물다섯, 비록 반희가 눈치채지 못했어도 채운에게 사랑하는 사
람이 있고 둘이 차근차근 준비를 해왔다면 이번주 토요일에 채운
이 결혼 못 할 이유는 코로나19 외에는 없었다. 반희 자신도 병석
과 스물다섯에 결혼했다. 문득 반희는 자신이 채운에게 어떤 존재
일까, 무엇을 기대하거나 요구할 자격이 있을까, 생각했고 그와
동시에, 스스로를 달래려는 건지 혼내려는 건지 모를 생각들, 채
운이 결혼을 하든 말든 그게 무슨 상관인가, 채운의 삶은 오로지
채운의 것일 뿐인데, 하는 생각도 했다. 하지만 이번주 토요일이
결혼식 날이었다는 말에 반희가 눈앞이 흐릿해질 만큼 충격을 받
은 건 사실이었다. 발톱 모양도 잘 보이지 않았다.

누구 결혼식이었는지 안 물어봐?

누구? 반희는 애써 밝은 목소리로 물었다. 설마 채운이 너니?

나? 미쳤어? 어떻게 내 결혼식 날을 엄마가 모를 수가 있어?

채운이 펄쩍 뛰는 바람에 반희는 기뻤고 대번에 여유를 찾았다.

음, 그럼 누굴까?

채운이 아니라면 누구여도 상관없었다. 설사 명운이라 해도.

아빠!

웃음이 터졌다. 이번주 토요일에 이병석이 결혼을 하려 했구나.

그런데 하필 이런 재난 탓에 취소가 되다니.

웃는 거야? 엄마는 이 상황이 웃겨?

그래, 엄마는 이 상황이 웃긴다.

이렇게 말하고 반희는 자기도 모르게 입술을 깨물었다. 뱉어놓은 말을 얼른 치우려고, 그래, 나는 이 상황이 웃긴다, 라고 정정해 말했다. 채운은 또 침묵을 지켰다. 채운이 요즘 항상 기분이 별로라고 한 게 병석의 결혼 때문이었을까. 그러니 자신이 두 번이나 웃긴다고 말해서는 안 되는 거였을까.

잠시 뒤 채운이 엄마, 하고 불렀고 반희가 응, 했다.

상황은 좀 안 좋아도…… 여행 갈까?

여행은 무슨? 식도 못 올렸는데 여행은 더 무리지.

뭐라고?

나중에 상황 가라앉으면 천천히 식 올리고 가겠지.

아니, 아빠 말고 우리.

우리? 반희는 숨이 약간 가빠졌다. 우리 둘이 이럴 때 여행을 가자고?

엄마도 쉬고 나도 쉬는 이런 날이 또 언제 오겠어? 한적한 데 가서 가만히 숨만 쉬다 오면 괜찮지 않을까?

나는…… 글쎄…… 채운아…… 글쎄……

더듬거리는 반희와 달리 채운은 갑자기 말이 빨라졌다. 강원도 깊은 산골에 자기가 아는 펜션이 있다고, 차 몰고 갔다 차 몰고 오면 된다고, 거기서는 밥도 해먹을 수 있어서 밖에 나갈 일이 없다고, 거기 꼭꼭 숨어서 아무도 안 만나고 그 근처만 산책하고 그렇게 딱 하루만 지내다 오면 괜찮지 않겠느냐고 했다.

딱 하루만?

응, 딱 하루. 그러니까 1박 2일.

생각해볼게.

전화를 끊고 반희는 여행에 대해서보다 자신이 전화로 한 말들을 먼저 돌아보았다. 너무 많은 말을 한 건 아닌지, 아니면 너무 적게 하려고 애써서 채운을 서운하게 한 건 아닌지, 혹시 쓸데없는 말을 하지는 않았는지. 반희는 다른 사람들과의 관계에서는 이런 점검을 하는 자신이 싫었고 하지 않으려 노력했다. 하지만 채운과의 관계에서는 그러지 않았고 그러지 못했다. 자꾸 살피게 되었다. 채운이 알지 모르지만, 반희가 자신을 '엄마'라고 칭하지 않고 채운을 '딸'이라고 부르지 않는 것도 그런 살핌의 일종이었다. 가끔 오늘처럼 실패하기는 해도.

반희는 채운이 자신을 닮는 게 싫었다. 둘 사이에 눈에 보이지 않는 닮음의 실이 이어져 있다면 그게 몇천 몇만 가닥이든 끊어내고 싶었다. 그래서 결국 둘 사이가 끊어진다 해도 반희는 채운이 자신과 다르게 살기를 바랐다. 그래서 너는 '너', 나는 '나'여야 했다.

차를 몰고 주택가 골목으로 접어들던 채운은 대로변에 서 있는 낯익은 실루엣을 발견했다.

뭐야, 엄마야?

이미 꺾은 터라 좁은 골목에서 차를 돌리기가 힘들었다. 채운은 옆 건물에 차를 붙여 세우고 차창을 내렸다.

엄마!

반희가 두리번거렸다.

엄마! 여기!

채운이 차에서 내리며 소리치자 그제야 반희가 알아보고 다가왔다. 양손에 무거워 보이는 짐을 들고 있었다. 채운이 트렁크를 열고 반희의 짐을 받아 넣었다.

뭐 이렇게 무거운 걸 들고 나와 서 있어?

여기 길이 좁으니까. 거기 작은 봉지는 넣지 말고 나 줘.

작은 봉지에서 고소한 참기름 향이 났다.

길이 좁으면 뭐? 차 못 들어가는 길이야?

마주 오면 비키기 힘들 때 있어. 근데 이 차는 못 보던 차다.

렌트했어. 거기 펜션 들어가는 길이 좀 빡센 비포장이라서.

채운은 운전석에, 반희는 작은 봉지를 들고 조수석에 탔다. 채운은 반희가 안전벨트 매기를 기다렸다가 새끼손가락을 내밀었다.

엄마, 출발하기 전에 우리 몇 가지 약속하자.

반희는 묻지도 않고 순순히 새끼손가락을 걸었다.

첫째, 여행 내내 폰 꺼놓기.

그거 좋다. 반희가 새끼손가락을 까딱 움직였다.

둘째, 서로 친구처럼 무슨 씨 무슨 씨 하고 이름 부르기.

채운씨 이렇게?

응. 나는 반희씨 이렇게.

그것도 좋다. 또 까딱.

엄마가 좋아할 줄 알았어. 아니 반희씨가…… 채운은 헛기침을 하고 말을 이었다. 셋째, 이게 마지막인데, 맛있는 거 많이 해먹기.

좋다, 좋아. 두 번 까딱 까딱.

내가 운전하니까 요리는 반희씨가 더 많이 해야 할 거야.

그러지 뭐.

새끼손가락을 풀고 채운이 차를 출발시켰다. 좁은 골목을 디귿자로 돌아나와 대로에 합류할 때 반희가 짐짓 예의바르게 말했다.

차가 큰데도 운전을 잘하시네요, 채운씨.

이게 그야말로 눈물겨운 훈련의 결과입니다, 반희씨.

차 몰 일이 그렇게 많아요, 채운씨?

막내니까 늘 내가 몰지요.

뭐? 아빠랑 명운이 놔두고 맨날 니가 몬다고?

그게 아니고 일할 때, 일할 때.

아.

우리 팀에서 내가 막내거든. 이쪽이 차 몰 일이 좀 많아? 헌팅갈 때는 엄청 빡센 길도 가고 촬영 갈 때는 이것보다 엄청 큰 차도 몰아.

그렇구나.

내가 공부는 못해도 몸 쓰는 일은 좀 하잖아? 근데 반희씨, 조금 전에 화내려던 거 맞지?

맞아.

아빠랑 오빠 괜히 억울하겠다.

음, 이번엔 좀 미안하네.

우리 있잖아, 아빠랑 오빠도 이름 부를까? 병석씨, 명운씨 이렇게.

그러자. 그래야 내가 흥분해도 감정의 거리가 생길 것 같네.

세상 모든 사람에게 공평해지는 게 좋지.

반희가 채운을 보았다. 채운은 반희가 바라보는 시선을 느끼고, 내가 좀 멋진 말을 했나 싶어 어깨가 으쓱했다. 톨게이트를 빠져나오고 얼마 지나지 않아 반희가 손을 들어 오른쪽을 가리켰다.

저기 봐봐. 참 예쁘지, 채운씨?

와, 죽인다.

오른쪽 도로변이 온통 벚꽃 천지였다. 채운은 힐끔 왼쪽을 보았지만 그쪽엔 벚꽃이 없었다.

근데 왜 엄마 쪽에만 폈을까. 아니, 반희씨 쪽에만.

내 쪽에만 펴서 분해?

아니, 불공평하잖아.

내 생각에는 처음엔 양쪽 길에 공평하게 벚나무를 심어놨는데 도로를 확장하거나 그런 이유로 채운씨 쪽을 베어냈을 가능성이 높아.

그럴 수도 있겠네. 근데 엄마 밥 안 먹었지? 아니, 반희씨.

채운이 씩 웃으며 쉽지 않네, 했고 반희가 억지로는 하지 말고 재미로 해, 했다.

아무튼 반희씨, 중간에 휴게소에서 한번 쉬자고.

휴게소에 못 들를까봐 김밥 싸왔는데.

반희가 들고 있던 작은 봉지를 달싹거렸다. 옅은 참기름 냄새가 풍겼다.

뭐하러 힘들게?

일찍 눈이 떠져서 세 줄만 말아왔어.

그들은 칠십 킬로쯤 달려 휴게소에 도착했다. 채운이 주차장 한적한 자리에 차를 세웠고 반희가 작은 봉지에서 김밥 도시락을 꺼냈다. 채운은 반희가 말아온 김밥을 보고 이게 눈이 일찍 떠졌다고 뚝딱 말 수 있는 수준의 김밥인가 의심했다.

진짜 맛있다.

천천히 먹어.

그들은 뒷좌석 차창을 조금 내리고 반희가 가져온 보온병의 옥수수차를 마시며 김밥을 먹었다.

근데 반희씨도 그래?

뭐가?

아빠 말이야, 아니, 병석씨 말이야. 뭘 먹어도 예전 맛이 안 난대. 이거 먹어도 예전 같지 않네, 저거 먹어도 예전 같지 않네. 병석씨 환장하는 단골 식당 육회 있지? 그거 먹고도 아 이것도 예전 맛이 안 나는데 그러더라고.

단 하나의 처방이 떠오르네.

뭔데?

입맛이 돌아올 때까지 굶기는 거.

맞다 맞아, 아빠는 좀 굶겨야 돼. 점점 배가 나와.

김밥을 다 먹고 반희가 말했다.

그런데 어떡하지? 내려야겠는데.

내리면 되지 왜?

안 내리려고 김밥 싸왔는데 화장실에 가야 하게 생겼네.

뭐 어때? 같이 내리자. 나도 커피 테이크아웃할 거야.

그들은 마스크를 쓰고 차에서 내려 휴게소 건물을 향해 갔다.

반희씨도 마실 거지? 두 잔 산다, 핫으로.

채운의 말에 반희가 머뭇거렸다.

먹고 싶긴 한데…… 자꾸 화장실 가게 될까봐.

그냥 마셔. 이제 얼마 안 남았어. 차 안 막히니까 금방 갈 거야.

그럼 먹을게.

채운은 커피 두 잔을 사서 화장실 앞 벤치에 앉아 마스크를 내리고 자기 몫의 커피를 조금씩 홀짝이며 반희를 기다렸다. 커피는 뜨거웠지만 맛은 별로 없었다. 반희는 좀처럼 나오지 않았다. 채운은 벤치에서 일어나 주변을 둘러보고 시간을 확인하려고 휴대전화를 꺼냈다. 휴대전화는 꺼져 있었다. 채운은 혹시 커피를 사는 동안 반희가 먼저 나와 차로 간 것인가 싶어서 차를 세워둔 쪽으로 급히 걸어갔다. 차 근처에는 아무도 없었다. 반희도 휴대전화를 꺼놓았을 테니 전화를 걸 수도 없었다. 채운이 다시 허둥지둥 화장실 앞으로 돌아가는데 화장실에서 나오는 반희가 보였다. 멀리서 보니 반희는 더 작고 늙어 보였다.

먼저 간 줄 알았잖아.

내가 오래 걸려. 점점 오래 걸리네.

채운이 커피를 건네자 반희가 난처한 표정을 지었다.

먹어도 될까.

아, 좀 편하게 마셔! 가다 아무 휴게소에나 서면 되지!

반희가 채운의 눈치를 힐끔 보았다.

아니, 내 말은, 내가 알았으니까 엄마 속도를……

반희가 속도, 하더니 픗 웃었다.

그래, 내가 엄마 오줌 싸는 속도를 알았으니까 아무리 오래 싸도 괜찮다고……

있잖아, 하고 반희가 채운의 말을 끊었다. 여기 휴게소가 좋은 게 화장실 휴지가 두루마리가 아니고 쏙쏙 뽑아 쓰는 방식이더라.

코로나 때문인가?

그런 것 같아. 두루마리면 아무래도 손 타니까 바꾼 것 같아.

진짜 그래서 바꾼 거면 대단한데?

대단히 신속하지? 이런 휴지 같은 작은 문제도 아무렇게나 바꾸는 게 아니거든. 관리자들이 모여서 회의하고 이게 문제다 어떻게 바꿀까 아이디어를 내고 윗선에서 결정해서 예산 승인 받아서 새로 설치한 걸 거거든.

가만 보니까 반희씨는 하나를 보면 열을 아네. 아까 벚나무 얘기도 그렇고.

그건 아니고, 우리 체육관도 뭐 하나 조그만 거라도 바꾸려면 직원들이 건의하고 위에서 결정하고 그러는 복잡한 절차를 거치거든.

그들은 휴게소를 빠져나와 고속도로에 접어들었고 채운은 일정한 속도로 달렸다. 그러다 문득 채운은 반희가 '우리 체육관'이라고 말한 게 생각났다. 벌써 그렇게 됐나. 비정규직인 반희는 원하든 원하지 않든 이 년 미만의 주기로 일자리를 옮겨야 했는데, 옮긴 직후에는 '내가 요즘 일하는'이라고 말하다 어느 시점이 되면 자연스럽게 '우리'라는 말을 붙였고 '우리'라고 말한 지 얼마 안 되어 다른 직장으로 옮겨야 했다. 지금 반희가 '우리 체육관'이라고 한 걸 보면 계약 기간이 다 되어간다는 뜻이고, 휴관일이 길어지면 아마 휴관중에 계약 해지 통보를 받을 수도 있었다. 엄마는 또 새로 취업할 수 있을까, 채운은 생각했다. 그리고 나는 언제쯤 일을 다시 시작하게 될까.

차는 조금도 막히지 않았다. 너무 빨리 도착하면 여행 기분이 안 나는데, 하고 채운이 말했지만 반희는 아무 반응이 없었다. 슬쩍 곁눈질로 보니 반희가 고개를 옆으로 기울인 채 잠들어 있었다. 맞아, 엄마는 차만 타면 잤지, 채운은 생각했고, 그게 일종의 멀미라던데, 하는 생각도 했다.

잠시 뒤 채운은 증상이 시작된 걸 감지했다. 눈가가 뜨거워지고 가슴이 빨리 뛰었다. 채운은 차선을 바꾸었다. 이마에 살짝 배었던 땀이 어느새 얼굴 옆선을 타고 흘러내렸다. 뒷덜미와 등허리도 땀에 젖는 게 느껴졌다. 채운은 가장 가까운 졸음 쉼터에 차를 세우고 차창을 열었다. 가슴을 누르고 몇 차례 심호흡을 했다. 다행히 곧 호흡이 돌아왔다. 채운은 휴지를 꺼내 땀에 젖은 얼굴과 목을 닦고 웃옷을 벗었다.

왜? 왜 그래, 채운아? 반희가 화들짝 깨어 물었다.

아냐, 엄마. 내가 갑자기 너무 더워서 그래. 엄만 안 더워?

응. 난 지금은 괜찮은데.

그래, 그럼 더 자.

아냐, 아냐, 깼어. 근데 채운이 너 정말 괜찮니?

그들이 탄 차는 고속도로에서 벗어나 국도를 달리다 옆쪽 숲길로 접어들었다. 처음엔 가로줄이 죽죽 그어진 시멘트 길이었다가 곧 흙길이 시작되었다. 표면이 고르지 않은데다 언덕에 급커브 구간도 있어 차가 덜컹거렸고 흙먼지가 일었다.

길이 진짜 험하네. 반희가 차창 위 손잡이를 잡으며 말했다.

그래서 내가 이 녀석을 렌트했지. 몰아본 중에 얘가 젤로 힘이 좋거든. 여기는 웬만한 자가용으로 가다간 밑바닥 다 긁혀.

멋있어. 반희가 감탄한 얼굴로 말했다.

풍경이 괜찮지?

아니, 채운씨가 멋있다고.

내가 멋있다고?

응.

채운은 웃음이 났다.

참, 별게 다. 지금 우리가 가는 데는 예전에 내가 촬영지 헌팅 다니다 알게 된 집인데 말이 펜션이지 진짜 절간이 따로 없어.

멋있어.

또 뭐가? 채운이 실실 웃었다.

이런 데도 다 알고 정말 멋있어, 채운씨.

아, 그만해! 웃겨서 운전을 못하겠어.

엉덩이가 배길 만큼 달려 도착한 숲속 펜션은 널따란 마당이 딸린 나지막한 단층집이었다. 반희는 차에서 내려 주변을 둘러보았다. 어떻게 이런 깊은 골짜기에 집이 다 있나 싶은 마련해선 제법 깨끗하고 멀쩡했다. 차 뒤편에서 채운이 아이고 하는 소리가 들렸다. 반희가 가보니 흙길을 달려온 탓에 차 뒤편이 미숫가루를 쏟아부은 듯 누런 흙먼지를 뒤집어쓰고 있었다.

어머, 차가 엉망이 됐네.

앞은 멀쩡해서 몰랐는데.

그러게. 차를 둘러본 반희가 말했다. 얼굴은 멀쩡한데 뒤통수만 그러네. 물 좀 떠다 씻길까?

됐어. 뭐 사러 내려갔다 오면 또 이 꼴 될 건데.

채운이 먼지가 날리지 않도록 트렁크 문을 조심히 열어 반희가 가져온 짐을 꺼냈다.

내가 웬만한 건 다 싸와서 내려갈 일 없을 것 같은데, 애 세수는 말고 머리만이라도 감길까.

반희의 말에 채운이 낄낄 웃었다.

내 머리 감기도 힘든데 됐어. 나 이따 술 사러 내려갔다 올 거야. 비켜, 먼지 나.

채운이 트렁크를 쾅 닫고 짐을 들고 펜션을 향해 썩썩 걸어갔다. 반희는 아쉽다는 듯 자꾸 차를 돌아보다 문득 차량 렌트비는 이미 채운이 냈을 테니 펜션 숙박비는 자신이 내야겠다는 생각에 걸음을 서둘렀다. 그러나 반희의 생각과 반대로 숙박비는 채운이 예약하면서 결제했고 렌트비는 차를 돌려줄 때 내는 거라고 했다.

펜션의 내부 설비도 반희의 예상보다 훌륭했다. 큼직한 원룸에 작은 욕실과 간이 주방이 딸려 있고 계곡 쪽으로 테라스도 나 있었다. 채운이 욕실에 들어간 동안 반희는 테라스 유리문을 활짝 열고 방을 청소했다. 가물었는지 계곡물 소리는 들리지 않았다. 티브이와 화장대와 붙박이장이 있고 장 안에 요와 이불 세 채가 들어 있었다. 욕실에서 손발을 씻고 나온 채운이 말했다.

큰일났어! 여기 수건이 없어.

내가 가져왔지. 반희가 수건을 네 장 꺼냈다. 너 두 장, 나 두 장 하자. 하나는 세수수건, 하나는 발수건 해.

발수건은 같이 쓰지.

채운의 말에 반희는 체육관의 축축한 발깔개를 떠올리고 기겁을 했다.

안 돼. 따로 써.

알았어. 까탈스럽기는.

채운이 발을 수건에 문지르고 짐을 푸는 반희 앞으로 다가앉았다.

뭐를 이케 이케 많이 싸오셨을까?

별거 없어. 반희가 수줍게 말했다.

이건 뭐야?

나물.

이렇게나 종류별로 다 싸왔어?

옛날에 채운씨가 이 나물 좋아했는데, 기억나?

이게 뭔데?

비름나물.

와, 비름나물! 진짜 오랜만에 들어본다. 고추장에 비빈 거 맞지?

응. 고추장에 무친 거.

맞아, 무친 거. 이건 뭐야?

두릅장아찌.

엄마가 직접 만든 거야?

응.

뭐 다 식물이야? 단백질은 없어?

여기, 동그랑땡.

와, 동그랑땡! 이건?

그건 만두.

와, 만두!

반희는 어린 채운에게 말을 가르칠 때처럼 머리를 맞대고 하나하나 일러주는 게 재미있었다. 이건 곰, 이건 토끼, 이건 채송화. 어린 채운이 손뼉을 쳤다. 채운이 할 때 채. 그렇지. 스물다섯의 채운도 손뼉을 쳤다.

이건 완전 잔칫집이네.

그렇지, 하고 반희가 말했다.

그들은 펜션 앞 계곡을 둘러본 후 산 위로 조금 올라가보기로
했다. 이런저런 얘기를 나누던 중에 채운이 물었다.

　반희씨, 나 어렸을 때 혹시 어디 멀리 간 적 있어?

　나 혼자만?

　응.

　멀리 간 적은 없고 한 번 집 나간 적이 있어.

　그래?

　응.

　그래서?

　반희는 채운이 집 나간 이유를 묻지 않는 게 좋았다.

　밤이 돼도 안 오니까 처음엔 병석씨가 전화도 하고 문자도 했지.

　그래서?

　내가 답장을 안 하니까 나중엔 명운씨가 문자를 했어.

　뭐라고?

　어디냐고, 왜 아직 안 오냐고.

　그래서 오빠, 아니 명운씨한테는 답장했어?

　명운씨한테도 답장 안 했어.

　진짜?

　처음엔 걱정하는 내용이더니 갈수록 글이 점점 짧아지면서 화
가 난 것 같더라.

글이 짧아져? 하하, 오빠가 뭐랬는데?

아 진짜 뭐야? 엄마 왜 그래? 아빠 무지 화났어! <u>ㅇㅇㅇㅇ</u> 이제 나도 몰라!

채운이 크게 웃었다.

그때 명운씨 몇 살이었는데?

중학교 1학년.

채운은 반희 몰래 손가락을 꼽아보았다. 그럼 그때 자신은 초3이었을 것이다. 열 살.

그래서?

그래서는 뭐…… 몇 시간쯤 더 있다 들어갔지.

액! 그게 뭐야?

그러게.

하룻밤이라도 버텨야지 왜 그렇게 빨리 들어가?

반희가 채운을 의미심장하게 보았다.

왜?

음, 채운씨가 운다고 문자 와서.

진짜? 진짜 내가 울었대? 아빠, 아니 병석씨하고 명운씨가 사기 친 거 아니고?

아니야. 내가 들어가니까 채운씨가 엉엉 울면서 뛰어오는데 운 티가 많이 났어.

하아, 참.

근데 울면서 뛰어는 왔는데 내 앞에 딱 서더니 고개를 홱 돌리더라.

와, 기가 막혀. 채운이 걸음을 멈췄다. 나 화났다 이거지?

그렇지. 그러고도 이십 분은 날 똑바로 쳐다보지도 않더라. 내뒤를 졸졸 따라다니기는 하는데 얼굴 보려고 하면 보여주지를 않아.

초3이나 된 게 그게 뭐하는 짓이야.

서운한 게 안 풀려서 그런 거지. 난 그때 채운씨 마음 알 것 같았어.

근데 나는 그때 반희씨 마음을 몰랐던 거네.

몰랐어야지. 채운씨가 그 나이에 그런 것까지 알았으면 내가 더비참했지.

난 왜 울었던 기억이 안 나지?

내가 그때 채운씨 마음을 잘 풀어줘서 그런 거 아닐까? 한 점앙금도 없이.

반희씨, 자만심 쩐다. 그건 아닌 것 같은데.

반희가 웃었다.

아닌 것 같아? 이상하네. 내가 평생 살면서 잘 안 되는 게 자만하는 건데.

아니, 자만 쩔어, 쩔어.

관목이 우거진 좁은 길이 나타났고 채운이 앞장섰다. 뒤따르던 반희가 물었다.

　채운씨는 살면서 잘 안 되는 거 뭐 없어?

　잘 안 되는 거? 엄청 많은데…… 아, 뭐 있지? 맞다, 음식!

　음식 뭐?

　에이, 하필 뭐 이렇게 유치한 게 생각나냐? 내가 겉보기엔 안 그럴 거 같은데, 맛있는 거 있을 때 눈치 안 보고 막 먹는 거, 그걸 못해.

　그게 왜 안 될까?

　뭔 소리야? 채운이 뒤를 돌아 반희를 노려보며 말했다. 나 이거 반희씨한테 배운 건데.

　그래?

　응.

　그럴 수 있겠다. 그래도 난 지금은 많이 교정됐는데.

　아닌 것 같은데?

　이것도 아닌 것 같아? 나 먹고 싶은 거 있으면 눈치 안 보고 먹으려고 하는 편인데.

　그건 반희씨가 혼자 사니까 그런 거고. 또 먹는 것만이 아니라, 오늘 아침에 보라고. 길에 나와서 서 있는 것도 그렇고, 김밥 말아 온 것도 그렇고, 먹을 거 바리바리 싸온 것도 그렇고.

　다 눈치보는 거라고?

　그래, 맞아. 눈치보는 거. 엄마 지금도 눈치본다고 엄청.

고질적이네. 혼자 살면서 고쳐진 줄 알았는데.

아, 채운이 손뼉을 쳤다. 그럼 엄마, 우리 오늘 이렇게 하자.

뭐?

저녁때 먹을 것 놓고 대차게 한번 싸워보자. 서로 절대 덜어주
거나 얹어주지 말고 짐승처럼 막 싸우면서 먹어보자.

그래, 좋다. 독하게 훈련해보자.

엄마, 힘들지? 이제 그만 내려갈까?

응, 내려가.

올라올 때만 해도 나뭇가지 사이로 언뜻언뜻 해가 비쳤는데 어
느새 산그늘이 졌다. 산길을 내려가면서 채운은 반희가 말한 그날
이 자신이 기억하는 그날일까 생각했지만 아무리 생각해도 그날
운 기억은 나지 않았다. 어쩌면 자신이 기억하는 날은 실제가 아
니라 상상인지도 몰랐다. 중요한 건 그게 아니라, 초3에서 고2까
지, 채운은 늘어뜨린 손가락을 천천히 꼽아보았다. 팔 년이었다.
엄마가 버틴 시간. 그리고 고2에서 지금까지, 손가락을 꼽아보니
칠 년이었다. 세상에, 엄마가 집 나간 지 칠 년밖에 안 됐다고? 채
운은 어이가 없었다. 엄마는 팔 년이고 자신은 칠 년이라니, 뭔가
억울한 기분이 들었다.

채운이 차를 몰고 술을 사러 갔다 올 동안 반희는 음식을 준비
했다. 만둣국을 끓일 요량으로 맛국물을 내놓고 동그랑땡과 김치

전을 데웠다. 삼색 나물은 한 접시에 모아 담았는데 비름나물을 넉넉히 놓았다.

채운을 기다릴 겸 반희는 앞마당 벤치에 나가 앉아 담배를 피웠다. 공기는 차고 주위는 어두웠다. 가끔 들리는 새소리, 나뭇가지가 부딪치거나 꺾이는 소리, 휙 바람이 몰아치는 소리 외에는 완전무결한 적막이었다. 소리가 들리지 않으니 시간도 멈춘 것 같았다. 어느 순간 아주 먼 곳에서 오옹 오옹 하는 희미한 소리가 들려왔다. 소리는 점점 가까워지고 있었다. 채운이 오는 소리 같았다. 시간이 다시 흐르기 시작했다. 반희는 믿기지 않는 일이 일어나기라도 한 듯 가슴이 뛰었다. 숲의 적막 속에 앉아 있는 늙은 자신만큼이나 차를 몰고 산길을 올라오는 젊은 채운의 존재도 믿을 수 없었다. 그들이 곧 만나게 되리라는 것도, 이 어두운 숲속에서 함께 밤을 보내게 되리라는 것도 믿을 수 없었다. 반희는 이 순간을 영원히 움켜쥐려는 듯 주먹을 꼭 쥐었고, 절대 잊을 수 없도록 스스로에게 일러주려는 듯 작게 소리 내어 말했다.

채운씨가 오고 있어. 채운씨가 와.

채운이 젓가락을 툭 내려놓았다.

재미없다. 우리 싸움 너무 못해.

그러게. 반희도 인정했다.

그냥 먹던 대로 먹자, 엄마.

채운의 말이 끝나기 무섭게 반희가 냄비에 하나 남은 만두를 채운의 그릇에 얹었다.

와, 이런 싸움은 잘하는데?

잘하지. 채운씨는 나 못 이기고.

맞아. 반희씨 경력이 장난은 아니지.

저녁을 먹고 채운이 설거지를 하는 동안 반희는 욕실에서 씻었다. 씻고 나와 발수건에 발을 꼼꼼히 닦고 채운의 것과 섞이지 않도록 치워놓았다. 채운이 씻는 동안 반희는 과일을 깎았다. 씻고 나온 채운이 컴퓨터도 없고 폰도 꺼놓으니 심심하다며 티브이를 켜서 채널을 이리저리 돌렸다.

반희씨는 요즘 하루를 어떻게 보내? 체육관도 안 나가고.

처음엔 그냥 잠만 자고 집에서 쉬기만 했는데, 요즘엔 반찬가게 일 해.

반찬가게를 나가?

아니, 나가는 건 아니고 집에서 만들어서 가까운 반찬가게에 대주는 일. 납품 같은 거지.

와, 그래? 난 몰랐네.

한 지 얼마 안 됐어.

뭐 뭐 만드는데?

처음엔 파김치 한 가지만 했는데 가게 사장이 이것저것 해보라고 해서 요즘엔 부추김치, 오이소박이, 아까 먹은 두릅장아찌, 그런 것도 하고.

할 만해?

아직 몰라.

와, 엄마! 저기 봐! 채운이 티브이 화면을 가리켰다. 저기 나 가 본 데다! 우포늪이라고 경치가 진짜 죽여.

화면에는 누런 갈대숲과 습지가 펼쳐졌고 물에 긴 다리를 반쯤 담근 채 유유히 걸어다니는 크고 흰 새들이 있었다. 눈가가 붉었다.

나 갔을 땐 저런 새 못 봤는데. 쟤가 따오기구나.

채운이 볼륨을 높였다.

엄마, 진짜 따오기가 따옥따옥 울어.

따옥따옥 우는 소리를 따서 이름이 따오기가 되었을 텐데 채운 은 그 유사성이 기막힌 우연이기라도 한 것처럼 신기해했다.

엄마, 들어봐! 따옥따옥 울지? 와 따오기가 진짜 따옥따옥 울 다니.

반희가 참지 못하고 웃음을 터뜨렸다. 채운이 어리둥절한 얼굴 로 따라 웃었다.

엄마도 평소에 티브이 봐?

응, 봐.

왠지 엄마는 티브이 같은 거 안 볼 각인데.

요즘엔 자주 봐. 파 다듬으면서도 보고 마늘 까면서도 보고.

주로 뭐 봐?

다큐. 자연 다큐. 그런 것만 해주는 채널이 있어.

거봐! 그럴 줄 알았어. 그래서 따오기가 따욱따욱 우는 것도 아는 거잖아?

맞아.

흠, 그러면서 태어날 때부터 알았던 것처럼 날 비웃고 말이지. 그럼 뭐 재밌는 동물 아는 거 없어? 하나만 얘기해봐. 내가 아나 모르나 보게.

깊은 바다에 사는 물고기가 있어.

와, 재밌겠다.

이 물고기는 머리 윗부분 절반이 투명해.

머리 윗부분 절반이?

응. 언뜻 보면 경비행기 앞부분 조종석에 시야를 확보하기 위해 반구형 유리를 씌워놓은 모양과 비슷해.

반구형?

응. 반구형. 반희가 두 손으로 공의 절반을 쓰다듬는 시늉을 했다.

아.

놀라운 건 실제 목적도 비슷하다는 거야. 원래 물고기는 눈이 옆에 달려서 위를 볼 수가 없는데 이 물고기는 큰 물고기에게 잡아먹히지 않으려면 자기 위로 큰 물고기가 지나가는지 아닌지 기필코 알아내야 해. 그래서 자기 뇌를 젤리화해서 투명하게 만든 거야.

뭐, 뇌를 젤리화해? 진짜?

물고기는 유리를 못 만드니까 자기 뇌를 유리처럼 만들어서 시야가 뇌를 관통하게 한 거지. 그렇다고 머리가 완전히 유리 같지는 않고 반투명 유리쯤 돼. 그쯤만 돼도 위에 큰 그림자가 지나가는지 아닌지는 알 수 있으니까.

와, 신기해. 그 물고기 이름이 뭐야?

이름은 몰라. 어쩌면 그 정도 깊이에 사는 물고기들 대부분이 그렇게 진화한 걸 수도 있고.

자기 머리를 젤리화한다는 발상은 정말 놀라운데.

채운이 냉장고에서 맥주 캔을 두 개 가져와 땄다. 둘은 캔을 부딪치고 마셨다.

물고기도 그렇게 바뀌는데, 엄마. 채운이 심각한 얼굴로 말했다. 인간도 말이야, 앞만 보게 돼 있잖아. 근데 만약에 천적이 늘 뒤에서만 나타난다고 하면 그걸 보려고 뇌를 젤리화시켜서 뒤를 볼 수도 있겠네.

글쎄, 뇌를 젤리화시키는 건 너무 고난도 기술이니까 차라리 고개를 재빨리 백팔십 도 회전시키는 식으로 진화하지 않을까. 경추, 그러니까 목뼈를 빙빙 도는 나사못처럼 만든다든가.

하하, 엄마 천재다. 이래서 사람은 배워야 돼. 엄마랑 얘기하면 되게 재미있다니까. 여자들 밤에 길 가다가 뒤에 누가 따라오나 안 오나 목뼈, 그 경추를 빙빙 돌려서 보면 좋을 것 같지 않아?

아, 그건 아닌 것 같은데, 채운씨. 반희가 걱정스럽게 말했다. 지금도 고개를 못 돌리는 건 아닌데 무서워서 못 돌아보는 거잖아. 경추가 빙빙 돈다고 돌아볼 수 있을까?

그래? 그럼 아까 그 물고기처럼 뇌를 젤리화하는 수밖에 없는 건가?

그렇지. 그리고 제대로 보려면 머리카락도 반은 밀어야 할걸.

와, 그러네. 그 풍경 참 기괴한데. 여자들이 외계인처럼 머리 절반이 그렇게 돼서 돌아다닌다고 생각하면.

채운은 잠시 생각에 잠겨 있다가 말했다.

엄마, 우리가 먹을 거 놓고 마음껏 싸우지도 못하게 된 건 뭐 땜에 그런 걸까?

음, 반희가 생각하다 말했다. 그것도 물고기랑 같은 이유겠지. 우리를 보호하기 위해서. 어떻게든 살아남으려고.

세상 뭐 다 이렇게 슬픈 얘기야, 젠장. 채운이 맥주를 벌컥 마시고 말했다. 나는 원래 생겨먹은 데서 얼마나 많이 바뀌었을까.

반희는 뭐라고 대답할 수 없었다.

산속의 밤은 길었다. 채운은 줄기차게 맥주를 마셨고 반희는 중간에 배가 불러 그만 마시다 다시 마셨다.

엄마, 아빠는 말이야, 내가 말 안 하고 가만있는 걸 못 견딘다.

오빠도 말 안 하고 가만있는데 나한테만 오늘 왜 그러냐고, 왜 말 안 하냐고 물어.

취기가 오르면서 채운은 누구 씨라고 부르기로 한 것을 완전히 잊어버린 듯했다.

그럼 채운씨는 뭐라고 해? 반희가 물었다.

뭐가 내가 말을 안 하냐고, 평소랑 똑같다고 그러지.

그런 말 하지 말지. 반희가 말했다.

그게 안 쉬워.

안 쉽지. 잠시 후에 반희가 말했다. 나도 말이야, 잘 안 돼. 오늘 채운씨가 운전도 잘하고 지리도 잘 알고 그런 걸 보면서 무슨 생각 했느냐 하면, 딸이어도 참 믿음직하다, 아들보다 낫다…… 그게 생각을 했다기보다 저절로 그런 생각이 든 거야. 그러고 나서 그 생각이 말로 나올까봐 너무 놀라서 진땀이 났어. 왜 자꾸 그런 생각을 하는지 모르겠어.

채운이 일어나 냉장고에서 맥주를 더 꺼내왔다.

엄마, 왜 아빠 재혼하는 거 안 물어봐? 누군지 어떤 여잔지 안 궁금해?

반희는 잠시 머뭇거렸다.

자존심 상해서 그래?

그건 아니야. 반희가 단호하게 말했다. 그냥 병석씨한테 관심이 없어.

아직도 미워해?

미워하지는 않고, 관심을 안 가지려고 할 뿐이야. 병석씨도 나한테 관심이 없었으면 좋겠고. 아니, 병석씨만이 아니라 아무도 나한테 관심이 없었으면 좋겠어. 난 세상 누구에게도 보이고 싶지 않아. 눈에 안 띄고 싶어.

나도? 채운이 눈을 동그랗게 떴다.

아니. 반희가 말했다. 채운씨만 빼고. 그러니까 내가 채운씨는 만나잖아.

그래서 외갓집에도 안 가는 거야?

외가가 아니라 내 본가.

알았어. 엄마 본가.

나를 지키고 싶어서 그래. 관심도 간섭도 다 폭력 같아. 모욕 같고. 그런 것들에 노출되지 않고 안전하게, 고요하게 사는 게 내 목표야. 마지막 자존심이고. 죽기 전까지 그렇게 살고 싶어.

와. 채운이 짧게 말했다.

우리 엄마, 정숙씨라고 하자. 반희는 스스로 좀 취했다고 느꼈지만 계속 이야기했다. 정숙씨 말로는 내가 어려서부터 그렇게 순해빠졌대. 시키면 시키는 대로 하고 죽으라면 죽는 시늉도 하고. 칭찬인 줄 알았지. 공부하라면 하고 좋은 대학 가라면 가고 취직해서 돈 벌라면 벌었지. 난 뭘 주장하고 누구랑 싸우고 뭘 얻어내고 그런 걸 못했어. 그러다보니 힘이 들었겠지. 아무것도 못 바꾸고 아무것도 안 바뀌니까 도망치고 싶었겠지. 그냥 도망치면 될 걸 결혼으로 도망친 게 실수였어. 딱 지금 채운씨 나이네. 스물다섯에 결혼한다니까 춘영씨도 정숙씨도 결사적으로 반대했어. 이기적이라고, 줄줄이 딸린 동생들 내팽개치고 결혼한다고. 내가 이혼할 때도 춘영씨하고 정숙씨가 그렇게 반대했어. 복에 겨워서 그런다고, 돈 잘 버는 남편에 똑똑한 아들내미 내팽개치고 이혼한다고. 나는 채운씨가 제일 마음에 걸렸는데, 그래도 이혼한 거 보면 내가 이기적인 게 맞긴 맞는가봐. 안 그러면 내가 죽을 것 같아서. 죽기 전에 나를 조금이라도 회복해놓고 싶어서.

와, 와. 나 애매해지네, 마음이. 엄마가 이렇게 똑부러지니까 애매해져. 나는, 나도 너무 힘이 들거든. 그래도 내가 엄마를 이해하거든. 이해한다고 알고 있거든. 근데 있지, 내가 갑자기 엄마가 너무 미우면서, 가엾으면서, 미칠 거 같으면서, 엄마가 죽은 것 같은 때가 있는 거야. 그럴 때면 가슴이 답답하고 숨이 안 쉬어져. 열이 나고 땀이 줄줄 나. 옛날에 어렸을 때, 그게 엄마가 아까 얘기한 그날인지 아닌지는 모르겠는데, 진짜로 있었던 일인지 아닌지도 모르겠는데, 내가 엄마가 없다는 걸 고스란히 느낀 거야. 그냥 방에 있는데 엄마가 없다는 게 너무 확실하게 느껴졌어. 운 기억은 진짜 없고, 그냥 엄마가 없다는 걸 알고 막 가슴이 답답하고 숨이 안 쉬어졌어.

채운아, 하고 반희가 당황해서 불렀다.

엄마, 나는 미래완료라는 말이 그렇게 슬퍼. 언제부턴가 난 알았던 것 같아. 엄마가 집을 나갈 거라는 걸. 엄마가 나간 다음에 나 혼자 엄마 없이 살 거라는 걸. 나 고2 때 엄마가 진짜 이혼하고 나갔잖아? 내가 상상한 그대로 미래완료가 된 거야. 나 혼자 집에 있고 엄마는 집에 없고. 그렇게 될 줄 다 알면서 모른 척 살아온 거 같았어. 그리고 얼마 안 있다가 더 나쁜 미래완료가 생겨난 거야. 아직 안 일어났지만 일어난 것 같은 그 느낌이 너무 생생해서 미치겠어. 어느 날 엄마가 죽고 없는데 나 혼자 낯선 길 위에 서 있는 거야. 어떤 때는 캄캄한 방에 누워 있는데 엄마는 죽고 없는 거야. 그러면 가슴이 아파서 도저히 숨을 못 쉬겠어.

채운아, 하고 반희가 채운의 손을 잡았다. 아까 차 세운 것도 그래서 그랬어? 엄마 봐!

채운이 반희를 보았다. 눈가가 따오기처럼 붉었지만 눈물은 고여 있지 않았다. 오히려 눈 속이 불타는 것 같았다.

엄마, 나 사랑하지?

반희가 고개를 끄덕였다. 말이 나오지 않았다.

알아. 엄마 보면 날 사랑하는 거 맞아. 날 사랑해서 힘든 게 보여. 나도 엄마 사랑해. 그래서 힘들어. 근데 엄마, 내가 머리가 나빠서 잘 모르는 거야? 사랑하는 게 왜 좋고 기쁘지가 않아? 사랑해서 얻는 게 왜 이런 악몽이야? 사랑하지 않으면 이렇게 안 힘들어도 되는데, 미워하면 되는데, 왜 우린 사랑을 하고 있어? 왜 이

따위 사랑을 하고 있냐고. 눈물도 안 나오고 숨도 못 쉬겠는, 왜 이런, 이런 사랑을 하냐고.

채운이 벌떡 일어나 가슴을 누르며 욕실로 뛰어들어갔다.

밤새 뒤척이다 새벽에 겨우 잠들었던 반희는 테라스 커튼 사이로 새어드는 빛과 새소리에 잠을 깼다. 옆에 채운이 누워 있었다. 자는 얼굴은 아기 같은데 잔뜩 술냄새를 풍기고 얕게 코까지 골며 자고 있었다. 반희는 자리에서 일어나려다 다시 앉아 채운의 어깨를 내려다보았다. 민소매 티셔츠를 입은 채운의 오른쪽 어깨에 타투를 했다가 지운 자국이 손바닥만한 크기의 흉터로 남아 있었다. 흔적으로는 아마 애초에 장미 모양의 타투를 하지 않았을까 싶었다. 타투를 한 것도 지운 것도 오로지 채운의 의지였을까. 혹시라도…… 대상을 알 수 없는 분노가 치밀어 반희는 입술을 깨물었다.

반희는 앞마당 벤치에 앉아 담배를 피우며 채운이 말한 미래완료에 대해 생각했다. 어제저녁과 달리 숲의 아침은 은근한 소란스러움으로 가득차 있었다. 지금껏 나는 무슨 짓을 하며 살아온 것일까, 반희는 생각했다. 두려워 도망치고 두려워 숨고 두려워 끊어내려고만 하면서. 채운과 이어진 수천수만 가닥의 실을 끊어내려던 게 채운에게는 수천수만 가닥의 실을 엉키게 하는 짓이었다면, 지금껏 나는 무엇을 위해 이렇게 살아온 것일까.

반희는 담배를 끄고 두 손을 맞잡았다. 바람이 휙 지나가면서 진한 흙내와 풀 향이 스쳤다. 사랑해서 얻는 게 악몽이라면, 차라리 악몽을 꾸자고 반희는 생각했다. 내 딸이 꾸는 악몽을 같이 꾸자. 우리 모녀 사이에 수천수만 가닥의 실이 이어져 있다면 그걸 밧줄로 꼬아 서로를 더 단단히 붙들어 매자. 함께 말라비틀어지고 질겨지고 섬뜩해지자. 뇌를 젤리화하고 마음에 전족을 하고 기형의 꿈을 꾸자. 한 번도 해본 적 없는 생각들이 밑도 끝도 없이 샘솟았고 반희는 믿기지 않는 일이 일어나기라도 한 듯 가슴이 뛰었다. 이 숲은, 이 벤치는 참 이상도 하지. 그러면서 반희는 어제저녁과 똑같이, 이 순간을 영원히 움켜쥐려는 듯 주먹을 꼭 쥐고, 절대 잊을 수 없도록 스스로에게 일러주려는 듯 작게 소리 내어 말했다.

아무것도 아니야, 채운아. 아무것도 아닌 것들이었어.

채운이 해장엔 라면이라며 만두를 넣고 라면을 끓였다.

만두는 셋, 사람은 둘. 이러면 남은 하나는 누가 먹어야 하지? 채운이 물었다.

반희가 말없이 남은 만두를 가져가 먹었다.

와.

이제 맛있는 거 내가 다 먹고 건강해지려고. 그래야 니가 이상한 미래완료 증상에 안 시달리지.

아 진짜 미래완료 증상은 또 뭐야?

나 안 죽을 테니까 너도 마음을 편안히 먹어. 조실부모한 것도 아니고…… 음, 그러니까 조기에 실했다, 부모를. 조실부모.

고아 말이야?

그렇지. 넌 고아도 아니고 다 커서 부모가 이혼한 건데 왜 그런 나쁜 생각을 해서 몸을 괴롭혀? 그렇다고 너무 걱정하진 말고, 증상이 심해지면 엄마랑 손잡고 병원 가면 돼.

채운이 반희를 빤히 보았다.

이제 엄마, 내 딸, 이런 말도 다 할 거야. 무슨 말인지 알지?

응, 알아.

엄마 튼튼해져서 내 딸보다 오래 살 거야. 그러니까 엄마 불쌍하게 여기지 마. 엄마가 몸 움직여서 돈 벌어서 사는 거, 엄마는 자랑스러우니까.

와, 나 적응 안 돼. 맥주 심하게 땡기네.

운전해야 되니까 지금은 안 되고 이따 엄마 집 가서 같이 한잔해.

엄마 집 간다고? 드디어 나 엄마 집 가보는 거야?

그동안 내가 미쳤지, 딸도 집에 안 들이고. 엄마 좀 창피하니까 니가 쳐들어오는 걸로 하자.

엄마 진짜 창피한가봐. 얼굴 빨개졌어.

그건 폐경돼서 그런 거고.

폐경됐어?

몇 년 찔끔거리다 재작년부터 끊겼어.

근데 반희씨, 요즘엔 폐경이란 말 안 써요.

그래?

완경! 완경했다 그래. 세상 똑똑한 엄마가 그것도 몰라?

완경? 완성했다는 건가, 완료됐다는 건가?

뭐 대충 그런 거 아닐까?

완성은 너무 미화고, 완료도 마음에 안 들고, 깔끔하게 종경이라고 할래.

종 쳤다고?

채운의 말에 반희가 히죽 웃었다.

그래. 종 쳤어. 종 쳤으니 집에 가고 좋네.

엄마, 밤새 무슨 일 있었어? 말투도 막 바뀐 거 같아.

뭔 소리야? 반희가 채운을 노려보며 말했다. 나 이거 너한테 배운 건데.

와. 채운이 과장되게 손뼉을 쳤다. 내가 그렇게 멋있게 말한다고?

짐을 트렁크에 싣고 운전석에 타며 채운이 말했다.

뒤통수가 영. 렌트 회사에서 세차비 달라겠는데.

조수석에 앉아 있던 반희는 그 말을 못 듣고 몸을 웅크린 채 낑낑거렸다.

엄마, 뭐해?

아이, 나이가 드니까 별게 다 힘들어.

왜? 어디 안 좋아?

아니. 종경인지 완경인지 땜에 갑자기 땀이 나니까, 가다 더울까 싶어 옷 좀 벗으려는데, 나이드니까 좁은 데서 옷 입고 벗는 게 그렇게 팔죽지가 당기고 옆구리가 결리고 힘이 드네. 아으, 아파.

담 결린 거 아냐?

아냐, 그냥 좀 놀랐어. 기다려주면 돼.

그래, 그럼 좀 기다리자.

반희가 몸을 꿈지럭거리며 풀었다.

엄마, 이번 여행 어땠어?

쩔었어.

채운이 기가 막힌 얼굴로 반희를 보았다.

좋았다는 뜻이지?

응.

뭐가 그렇게 쩔었어?

음, 내 딸을 좀더 잘 알게 되고 이해하게 되었다고나 할까?

말투가 왜 그래? 되게 가식적으로 들려.

딸도 부디 엄마를 좀더 이해하게 됐기를 바라. 엄마의 뭐냐, 그…… 속도도 알게 됐고.

그…… 속도? 아, 엄마 오줌 싸는 속도?

반희가 말없이 웃옷에서 한 팔을 천천히 뺐다.

엄마! 채운이 눈가에 장난기가 가득해서 말했다. 오줌, 해봐.

아니…… 굳이 왜……

그런 말 싫어? 못해? 쩔어도 했잖아? 해봐, 오줌!

내가 아직은 이상하게 오염된 게 있어서, 그런 말은 좀 빡세네.

채운이 웃음을 터뜨렸다.

아, 빡세도 하면서 오줌은 못해? 그럼 오줌 싸는 걸 뭐라고 할래? 소변?

소변도 싫고…… 배뇨, 배뇨의 속도라고 하자.

배뇨? 하, 참. 내가 반희씨 배뇨의 속도를 알게 되었다? 낯설다, 낯설어. 내가 엄청 대단한 법칙을 발견한 과학자 같고.

이제 출발해, 채운씨.

좋아! 빨리 가야 빨리 맥주 먹지.

차가 출발했다. 반희는 고개를 돌려 마지막으로 이상한 숲과 펜션 앞마당에 놓인 마법의 벤치에 작별을 고하려 했지만 뒤 차창이 누런 흙먼지에 뒤덮여 아무것도 보이지 않았다. 차가 이쪽저쪽으로 기울고 심하게 쿨렁거렸지만 반희는 마치 땅콩 껍데기 속에서 구르는 땅콩처럼 아늑하고 편안했다. 딸이 운전하는 차라 아무 걱정 할 필요가 없었다. 고속도로에 접어들면서 달리는 속도가 일정해지자 반희는 졸음이 쏟아졌고 잠들기 전에, 우리 둘이 언제 땅콩 모양의 타투나 하러 갈까, 했는데 생각만 한 건지 말로도 했는지는 알지 못했다.

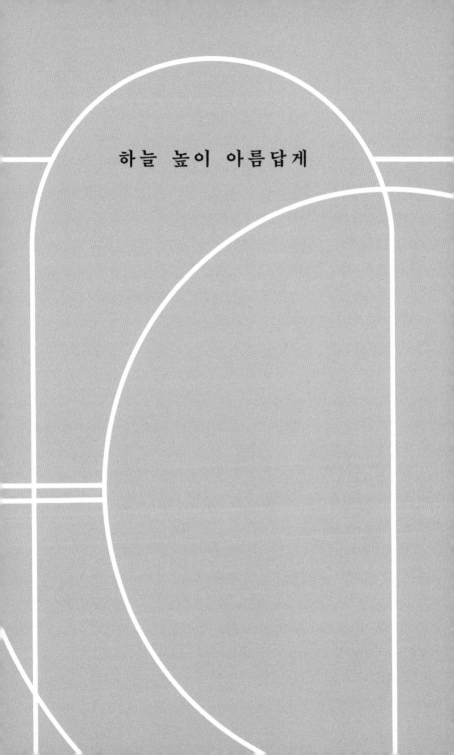

하늘 높이 아름답게

일흔두 살에 죽은 마리아는 지주 집안의 오 남매 중 막내딸로 태어났다. 위로 오빠가 둘 언니가 둘이었는데 막내라고 해서 귀여움을 독차지하지는 못했다. 대지주는 아니어도 자기 땅을 가졌다고 양반 행세를 하여 가풍이 대단히 봉건적이었다. 아들들만 위해 받쳤고 딸들은 빈농 집안이나 다름없이 부렸다. 아들들은 학교에 다녔지만 딸들이 학교에 다니기 위해서는 집안이 발칵 뒤집힐 정도의 투쟁과 저항이 필요했다. 집안의 남자 어른들은 시대 흐름도 있고 남의 눈도 있어 마지못해 딸들을 학교에 보내면서도 딸들 앞으로 나가는 학비는 낭비라 여겼고 딸들의 높은 학업 성취에서는 까닭 모를 불길함마저 느꼈다. 그래서 집에서는 딸들이 감히 책을 펼치고 공부하는 꼴을 보이는 걸 용납하지 않았다. 시집가기 전까지 알뜰히 착취해야 마땅할 딸들의 노동력은 가축이나 토지와 마찬가지로 그 생산성의 크기에 따라 가치가 매겨졌으므로, 맏딸에 비해 막내딸은 훨씬 더 열등했다. 집안에서 가장 작아서 미천한 존재인 막내 마리아는 자라면서 가능한 한 누구의 눈에도 띄지 않도록 자기 존재를 감추고 무화하는 법을 터득했다. 숨어서 공부했고 숨어서 성당에 나갔고 숨어서 일을 꾸몄다. 그 은신술이 얼마나 뛰어났던지 마리아가 파독 간호사를 지원해 독일로 떠난 후 사흘이 지나도록 집안에서 그녀의 부재를 눈치챈 사람이 아무도 없을 정도였다. 심지어 죽기 전까지도 숨어서 약을 먹고 주사를 놓았으므로 마리아가 죽을 만큼 아프다는 것을 눈치챈 이웃이나 신자는 아무도 없었다.

성당 안뜰 파라솔 아래에 앉아 베르타는 곧 참회해야 할 생각을 끊임없이 되풀이하고 있었다. 도대체 이 사람들은 이렇게 해서 뭐가 만족스러운 걸까. 쉬지 않고 떠들어대면서 이들이 얻는 것은 과연 무엇인가. 성당의 가을 바자회가 끝나갈 무렵이었다. 기념품과 기증품을 파는 매대만 몇 남아 있고 대부분은 파장했다. 떡과 음료 매대를 맡았던 그들도 뒷정리를 한 뒤 남은 음료를 하나씩 들고 파라솔 아래 모여 앉은 참이었다.

이 모임에서 가장 젊은 오십대 초반의 사비나는 누가 무슨 말을 꺼내기만 하면 어김없이 저도요, 저도 그런 게, 제가 예전에요, 하는 식으로 새가 나무를 쪼듯 잽싸게 자기 말을 끼워 넣을 자리를 만들었다. 가장 늙은 멤버인 올가는 입술을 실룩거리며 걸쭉한 쉰 소리로 내용 없는 독백을 지루하게 이어나갔다.

베르타는 자신이 사람을 가리고 싫어하는 증상을 여전히 갖고 있다는 것과 남편이 죽고 나서도 그 증상이 조금도 완화되지 않았다는 것을 확인했다. 베르타의 남편은 작년 봄에 급사에 가까운 죽음을 맞았다. 갑작스러운 죽음이라 준비된 게 아무것도 없었다. 장례를 치르고 나서도 한동안 상속 문제로 정신이 없었다. 상속세 면제 한도와 공시지가에 맞춰 두 아들에게 적절한 몫의 부동산을 분배하고도 재산은 베르타 손에 넉넉히 남았다. 세무사와 상담하여 상속세를 납부하고 명의를 변경하고 연금 수령 신청을 했다. 생전의 남편은 성정이 꼼꼼하고 검약이 몸에 밴 사람이었다. 남의 시선에 민감했고 손가락질받을 일을 피했다. 그렇다고 융통성이 없는 건 아니어서 재산 축적에는 묘한 수완과 담대함마저 보였다. 베르타는 결혼 전에 대학병원 약사로 일하다 첫째 아들을 낳고 일을 그만두었다. 남편에게 맞춘 결과이든 아니든, 겉으로 볼 때 베르타와 남편은 그 성격과 스타일이 썩 잘 맞는 듯했다. 베르타가 네 식구의 한끼 식사를 김치 그릇 외에는 대부분의 접시나 사발이 깨끗이 비워질 정도로 인색하게 차려낸다든가, 아들들이 어느 정도 크고 나서는 굳이 그럴 필요가 없는데도 틈틈이 친구가 하는 약국에 나가 일을 봐주면서 돈을 번다든가 하는 점이 그랬다. 그

러나 베르타는 언제나 속으로는 자신과 남편 사이에 해소할 수 없
는 차이가 있다고 생각했다. 일례로 남편은 항상 첫째 위주였지만
베르타는 둘째가 더 살갑고 편했다. 또 무엇보다 남편에게는 도무
지 미적 감각이나 취향이라곤 없었는데 베르타 자신은 그렇지 않
다고 생각했다.

남편이 죽고 얼마 지나지 않아 둘째 아들이 같이 살자고 제안해
왔다. 그때 베르타는 둘째 며느리의 표정을 유심히 살폈는데, 그
걸 아는지 모르는지 며느리는 그렇게 하세요 어머니, 하고 거들
었다. 표정이며 말투며 억지로 그러는 것처럼 보이지는 않았지만
베르타는 일주일쯤 생각해보고 거절했다. 지금도 베르타는 그렇
게 한 게 잘한 일인지 아닌지 알 수 없었다. 베르타는 이제 스스로
마음이 안정되었다고, 혼자 사는 데 익숙해졌다고 생각했지만 정
말 그런지는 확신할 수 없었다. 남편이 죽은 후 특별한 사정이 없
는 한 매달 한 번씩 가족이 모였고 매년 두 차례씩 가족 여행도 다
녀왔다. 베르타는 둘째가 마음을 써 예약해준 음악회나 전시회 티
켓을 썩히는 일이 없었고, 예전보다 성당에 자주 나가 구역예배도
보고 봉사활동에도 참여했다. 한때 그녀는 남편이 죽고 나서 자신
이 제법 철이 들고 너그러워졌다고 생각한 적도 있었다. 그게 언
제였을까, 베르타는 생각을 더듬었다. 왜 그런 섣부른 확신을 가
졌을까.

음료는 미지근했고 가을볕은 서서히 거둬지고 있었다. 옆에 앉은 데레사가 수산나에게 무슨 얘기인가를 하고 있었다. 베르타 또래인 환갑 언저리의 데레사는 누가 재치 있는 유행어를 말하면, 베르타가 듣기에는 전혀 재치 있지 않았지만, 그 말에 열광하여 듣는 사람이 염증이 나도록 그 말을 부적절하게 사용하며 즐거워했다. 그 대화 상대자인 수산나로 말하자면, 안셀모 신부의 모친이라 신자들에게 어느 정도 대접은 받고 있었지만, 베르타가 보기에는 도무지 머리가 둔하고 감정이 메말라 누가 뭐라고 하든 성경 말씀을 갖다붙이기 일쑤였는데 맥락상 적절하지 않은 경우가 대부분이었다. 들으나 마나 둘 다 부적절한 대화를 나누는 중일 것이었다. 그 와중에 하필 건너편에서 사비나의 높은 목소리가 들려왔다.

그러니까 그 빈대떡 말이에요! 우리 남편이 그렇게 좋아했는데!

베르타는 미간을 찌푸리고 사비나 쪽을 바라보며, 참 고귀하지를 않구나 이 사람들은, 하고 생각했다. 분명 자신도 고귀하다고 할 순 없겠지만, 그럼에도 불구하고 이 사람들은 고귀하지를, 전혀 고귀하지를 않다고 베르타는 다람쥐 쳇바퀴 돌리듯 같은 생각을 반복했다. 이제 베르타를 괴롭히는 의문은 자신이 왜 이들과 계속 만남을 이어가고 있는가 하는 것이었다. 도대체 이들은 이렇게 해서 뭐가 만족스러운 건가, 베르타는 신음하듯 생각했다. 아무도 귀담아듣지 않는 말을 떠들어대면서 도대체 어떤 기쁨을 느끼는 걸까. 가만히 듣는 것보다 열심히 말하는 게 그래도 뭔가 하는 것 같아서? 그나마 그게 더 살아 있는 것 같아서?

빈대떡 부치는 솜씨도 솜씨지만 반죽이 굉장히 중요했던 거라고 하더라고요. 아무도 그런 반죽은 못 만들 거라고요.

누군가 조금 전에 빈대떡 얘기를 했고 그걸 또 사비나가 가로채서 떠드는 거라고 짐작하면서도 베르타는 '빈대떡'이란 말 속에 자신을 건드리는 뭔가가 있음을 느꼈다. 오늘 바자회 내내 뭔가 불만스러운 게 있었는데 그게 어쩌면 빈대떡과 관련이 있을지도 몰랐다.

그러니까 그게 참 안타까운 게 말이오……

막 사비나의 말에 귀를 기울이려는 참에 늙은 올가의 쉰 목소리가 끊고 들어오는 바람에 베르타는 짜증이 났다.

옛날하고는 달라서 요즘은 일흔두 살이면 한창때란 말이지요. 십 년에서 십오 년은 너끈히 더 살 수 있는 나이거든요.

베르타는 올가의 나이가 정확히 몇인지 몰랐지만 일흔두 살이라면 그럴 법하다 여길 나이였으므로 다소 어처구니가 없었다. 일흔두 살이 한창때라니, 거기다 십 년도 아니고 십오 년을, 여든둘도 아니고 여든일곱까지 너끈히 살겠다니 어지간히 욕심도 많다고 생각했다.

나는 알고 있었소. 오래 못 가겠구나 알고 있었어요. 올가가 염불을 외듯 말을 이었다. 그렇게 사람이 한꺼번에 휘몰아치듯이 살면 오래 못 사는 법이거든. 나하고 동갑이라 내가 벗을 삼고 싶어도 형편이 서로 너무 층하가 나고 또 그이가 영 쉴 틈이 없었으니까. 한시도 안 쉬고 일을 했지요. 그래야 할 형편이긴 했지, 마리아가.

'마리아'라는 말에 베르타는 자기도 모르게 상체를 앞으로 내밀었다.

마리아님이라면 혹시 손녀딸 하나 키우시던 그 마리아 이모님 말씀이세요?

올가가 베르타를 힐끔 보더니 대답했다.

그럼 그 마리아지 누구겠소, 지난주에 선종한? 아, 그때 연도봉사 할 때 베르타 자매님은 참석 안 했던가요?

베르타는 지난주에 두 아들 며느리와 함께 해외여행중이었다고, 어제 아침에 돌아왔다고 말했다. 그러자 올가가 아, 외국에 있었구만, 그래서 마리아가 죽은 것도 몰랐군, 했다. 사비나가 눈을 반짝이며 여행은 재미있었느냐고 물었고 베르타는 가쁜 숨을 몰아쉬며 그렇다고 대답했다. 베르타가 마리아를 처음 만난 것은 불과 몇 달 전인 성당의 봄 바자회에서였다. 그때 마리아는 예전에 빈대떡집을 했나 싶게 재빠른 손길로 빈대떡을 부쳐냈는데 그게 그렇게 맛있다고 소문이 나서 날개 돋친 듯 팔려나갔다. 사비나의 남편이 그렇게 좋아했다는 그 빈대떡이었다. 수산나가 여행은 어디어디를 다녀왔느냐고 물었고 베르타는 짤막하게 체코, 라고 대답했다. 마리아가 죽었다는 얘기를 들은 순간부터 베르타는 조금씩 숨이 가빠왔다. 어머, 저도 거기 가봤는데 체코, 하고 사비나가 말했다. 베르타는 점점 더 가슴이 갑갑해져 숨을 쌕쌕거리며 체코의 여러 도시와 관광지에 대해 떠들어대는 일행을 놀란 듯 둘러보았다. 의사로부터 치명적인 병명을 듣기 위해 기다리는 환자처럼 베르타는 둘러앉은 여인들에게서 어떤 작은 단서라도 찾으려는 듯 주의깊게 눈치를 살피고 귀를 기울였다. 누가 말해줄 것인가, 마리아의 죽음에 대해.

그날 아침 일찍 안셀모 신부의 사택으로 전화가 걸려왔다. 마리아의 임종 소식을 제일 먼저 듣게 된 안셀모의 모친 수산나는 눈을 감고 짧게 기도한 뒤 곧바로 안셀모 신부를 깨우러 갔다. 안셀모는 잠이 덜 깬 와중에도 이거 큰일났네, 큰일났어, 하고 연신 웅얼거렸다. 그 자매님 아들이 그 지경이니 상주로는 턱도 없고, 하고 수산나도 말을 보탰다. 그렇다고 어린 소피아를 상주로 세울 수도 없는 일이고. 안셀모가 자리에서 힘겹게 일어나더니 불만스러운 얼굴로, 그러니 마리아님께서 제게 특별히 부탁을 하신 거죠, 하고 뒤뚱거리며 욕실로 향했다. 수산나는 날로 살이 찌는 아들의 큰 덩치를 근심스레 바라보았다. 마리아의 형편이 형편이니만큼 장례는 하루이틀 안에 끝나는 약식장일 터였다. 수산나는 창문을 활짝 열고 침구를 정리하며 그나마 날씨가 덥지 않아 우리 신부님이 땀은 좀 덜 흘리겠다고 생각했다.

아침을 준비하다 말고 수산나는 잠시 손을 늘어뜨리고 생각에 잠겼다. 마리아가 지난주에 신부님 드시라고 가져다준 밑반찬이 아직 냉장고에 남아 있는데 그걸 만든 당사자가 더이상 이 세상에 없다는 게 믿기지 않았다. 반찬통에 든 반찬처럼 마리아도 곧 관에 들려니 생각하다 이 무슨 불경스러운 생각인가 싶어 급히 고개를 내저었다. 그래도 마리아처럼 착하고 부지런한 자매님은 분명히 천국에 갔을 거라고 보일 듯 말 듯 고개를 주억이다 말고 수산나는 다시 마음이 찜찜해졌다.

아니에요 사모님, 마리아는 열 살이나 적은 수산나에게 늘 존댓말을 썼다. 저 같은 게 무슨 하느님의 백성이겠어요?

그게 아니라고, 믿는 자는 누구나 하느님의 백성이고 자녀라고 수산나가 그렇게 얘기했는데도 마리아는 끝까지 불신의 마음을 거두지 않았다. 수산나는 손을 모으고 가난하고 지혜가 부족했던 마리아를 위해 기도하려다 안셀모가 옷을 갖춰 입고 방에서 나오는 걸 보고 그만두었다. 수산나는 밥을 푸고 국을 뜨고 마리아가 만든 반찬을 늘어놓았다. 식탁에 마주앉은 안셀모에게 몇 번이나 무언가를 물어보려다 그의 목에 꽉 물려 있는 로만 칼라 깃을 보곤 자기 목이 더 막히는 듯해 입을 다물었다.

애초에 없던 목숨인데 이렇게 태어나서 살았으니 됐고 살아서 좋은 때도 있었으니 됐지요, 하고 마리아는 말했다. 제가 하느님께 감사드리는 건 거기까지예요 사모님. 더는 하느님의 은혜를 바라지 않아요.

세상에, 그렇게 고집을 부리며 믿지 않은 마리아는 이제 어디로 가게 되는 걸까, 수산나는 차마 상상조차 할 수 없었다. 불신으로 저주받은 영혼의 행로에 대해서는. 그래서 오직 장례식 내내 연도만 열심히 했다고 수산나는 말했다. 연옥에 있는 마리아의 영혼이 부디 최악의 곳에 가지 않기를 바라면서. 베르타는 수산나의 넙데데하고 무표정한 얼굴 뒤에 드리운 슬픔을 발견하고 감동을 받았다.

올가는 성당으로부터 부고를 받자마자 곧바로 연도봉사를 맡은 구역 내 신자들에게 연락했다. 장례식장에 오전, 오후, 저녁에 갈 신자들로 나누어 팀을 짜고 각 팀별로 대표를 한 사람씩 정해 책임을 지운 다음 잠깐 한숨을 돌리려는 참에 전화가 걸려왔다. 모르는 번호였다.

안녕하세요, 신자님! 많이 바쁘시지요? 그래도 잠시 시간 좀 내주셔야겠는데요?

많이 들어본 여자의 목소리와 말투인데 누군지 알 수 없었다. 성당에서 사무 일을 보는 신자인가 싶어 올가는 변명하듯, 어쩌나, 나는 당장은 시간이 안 되고 오늘밤 장례미사에나 참석할 수 있을 것 같은데, 하고 대답했다.

아, 그러시군요. 누가 돌아가셨나봐요?

올가는 어리둥절했다. 마리아 자매님이 돌아가셨는데 아직 연락을 못 받았느냐고 묻자 여자가 뭐라고 우물우물했다. 올가는 의기양양하여 마리아의 장례식에서 연도를 올릴 오전, 오후, 저녁 시간대를 알려주고는 다음주에 가을 바자회도 있는데 큰일이라고, 마리아 자매님이 이리 허망하게 가셨으니 그 준비를 누가 다 하겠느냐고 푸념하다 말고 갑자기 의심적은 생각이 들어, 그런데 자매님은 누구시오, 하고 물었다.

네, 여기는요, 하더니 여자가 기다렸다는 듯 빠르게 말을 쏟아놓았다. 하느님의 은총으로 무연고 청소년들의 생계와 자활을 돕는 빛사랑센터입니다. 저희 아이들은 만 십이 세부터 만 십칠 세까지의 아이들인데요.

올가가 어이가 없어 얼른 전화를 끊으려 했지만 여자의 말은 좀처럼 틈을 보이지 않고 촘촘히 이어졌다.

저희 아이들이 정말 좋은 재료로 정성을 다해 만든 질 좋은 천연 건강 비누 한 박스를 십만원에 보내드리고 있습니다. 택배로 보내드려요. 택배비는 받지 않고요. 마침 다음주에 바자회도 하신다니까 저희 비누를 몇 박스 보내드리고 싶은데, 사실 십만원이면 이게 절대 비싼 게 아니고요, 한 박스에 든 비누 양이……

올가는 몇 번이나 어어, 내가, 이봐요, 하고 전화를 끊을 기회를 노리다 실패하고 종료 버튼을 꾹 눌렀다. 번호를 차단하려고 통화 목록을 여는 중에 다시 벨이 울렸고 올가가 하필 통화 버튼을 잘못 누르는 바람에 다시 전화가 연결되었다. 휴대전화 스피커를 통해 여자의 속사포 같은 공격이 쏟아져나왔다.

도대체 왜 전화를 그런 식으로 끊으시는……

올가는 화들짝 놀라 다시 종료 버튼을 눌렀다. 세번째로 벨이 울리고 화면에 같은 번호가 떴다. 올가는 가슴을 벌렁거리며 휴대전화를 내려다보았다. 올가의 약을 올리려는지 인내심을 시험하려는지 벨은 무척 오랜 시간 울렸다. 무연고 청소년…… 만 십이 세부터 만 십칠 세…… 천연 건강 비누 한 박스…… 십만원…… 그런 소리들이 휴대전화를 통해 환청처럼 들려오는 듯했다. 마침내 벨소리가 끊겼다. 올가는 무슨 무서운 물건이라도 만지듯 조용해진 휴대전화를 집어들고 통화 목록에서 번호를 찾아 차단했다.

그러고 나서 문득 그런 생각이 들었다고 올가는 침울하게 말했다. 마리아의 손녀 소피아도 만 십이 세가 되면 그런 곳에 가게 되려나, 건강 비누 같은 걸 만드는, 그런 생각이…… 베르타는 올가의 마르고 침통한 얼굴을 바라보며 조금 전에 올가의 말을 오해하여 팔십칠 세까지 살려는 욕심꾸러기 노인으로 여긴 것을 참회했다.

독일로 간 마리아는 거기에서도 미천한 존재이긴 마찬가지였지만 죽을힘을 다해 살았다. 고된 간병 업무와 간호 보조 업무를 하는 틈틈이 독어를 익혔고 밤에는 한국에서 가져간 간호학 교재를 공부했다. 병원 구급차를 운전하는 터키계 독일인 카디르와 사귀게 되었지만 정식 간호사가 되기 전에는 그 누구와도 결혼할 생각이 없었다. 독일로 간 지 육 년 만에 간호학교에 입학해 일 년을 다니고 새 학기를 앞둔 여름에 마리아는 검은 곱슬머리에 피부가 노르스름한, 청회색 눈동자의 남자아이를 낳았다. 그들에게 일주일의 시간만 있었다면 마리아와 카디르는 결혼 신고를 했을 것이고 그랬다면 마리아가 다시 한국에 돌아오는 일 없이 독일 국적을 얻어 영원히 그곳에 정착할 수 있었을 것이다. 출산한 마리아가 퇴원하던 날 아기를 안고 병원에서 나오던 카디르가 계단참에서 어지럽다며 잠깐 아기를 안고 있어달라고 마리아에게 건넸다. 마리아가 아기를 받아 추스르는 동안 카디르는 스르르 주저앉았고 그렇게 늘어진 채 눈을 감았다. 격무에 시달린 젊은이에게 찾아오는 돌연사였다. 아무도 이방인인 마리아가 혼자서 아이를 키울 수 있을 거라고 말해주지 않았다. 단 한 사람도 그렇게 말해주지 않았다. 마리아는 이름도 짓지 않은 아들을 주변의 권유에 따라 독일인 가정에 입양 보냈다. 때마침 오일쇼크의 여파로 독일에서 외국인 노동자를 강제 송환하는 정책이 시행되었고 한국인 파독 간호원들은 간호 가운의 한쪽 소매를 뜯어내며 맹렬히 저항했다. 마리아는 소매를 뜯지도, 저항을 하지도 않았다. 아무것도 몰랐고 알려고 하지도 않았다. 한국을 떠난 지 팔 년 만에 마리아는 한국으로 송환되었다.

데레사는 올가에게서 마리아의 부고를 받고도 믿기지가 않았다고, 왜냐하면 마리아가 죽기 사흘 전까지도 자기 집에 일을 다녀갔기 때문이라고 말했다. 그 말을 듣고 베르타는 갑자기 머리 한쪽에 찌릿한 통증이 이는 것을 느꼈다. 마리아는 자주 성당 사람들 집에 가사도우미 일을 다녔는데 올봄 바자회 이후로 베르타의 집에도 한 달 남짓 일을 다닌 적이 있었다.

부고를 받고 데레사는 도무지 마음이 잡히지 않아 이곳저곳을 서성거렸다. 마리아가 다녀간 지 얼마 되지 않아 집안은 깨끗했다. 욕실도 주방도 나무랄 데가 없었다. 데레사는 냉장고에서 공복에 먹는 한약을 꺼내 데우려다 마리아가 해놓은 밥과 서너 가지 반찬에 국까지 남아 있는 걸 보자 갑자기 맹렬한 식욕이 솟구치는 걸 느끼고 한약 대신 유리 용기에 1인분씩 담아놓은 밥을 꺼내 렌지에 돌리고 국을 데우고 반찬통을 식탁에 내놓았다. 눈치가 비상한 마리아는 데레사의 식성과 체질을 모조리 파악하고 있었다. 데레사가 몸이 허약하고 소화기관이 부실한 것을 감안해 기름과 고춧가루가 적게 들어간 반찬을 만들었고 국의 간은 항상 심심한 편이었다. 그리고 무엇보다 밥이 흑미가 섞인 찰밥이었다. 어떻게 같은 김을 무쳐도 이렇게 쫄깃하게 잘 무치는지, 감자를 조려도 이렇게 포슬포슬한 식감이 나게 조리는지 데레사가 감탄하면 마리아는 별것 아니라는 듯 씩 웃으며 말했다.

먹어줄 사람을 생각하고 만들면 그렇게 돼요, 사모님.

데레사가 그러지 말라고 몇 번을 말했는데도 마리아는 이게 편해요 사모님, 하며 말끝마다 꼬박꼬박 사모님을 붙였다. 자꾸 듣다보니 데레사도 사모님 소리가 사모님으로 들리지 않고 그저 마리아가 자신을 부르는 애칭이려니 여기게 되었고, 데레사도 마리아를 애칭하듯 말끝에 꼬박꼬박 이모님을 붙여 불렀다.

어머, 저도 그랬는데, 하고 사비나가 말했다. 저도 꼬박꼬박 마리아 이모님 마리아 이모님, 그렇게 불렀거든요.

그런데 마리아 이모님은, 하고 데레사는 사비나의 말을 못 들은 척 얘기를 이었다. 배움도 짧으신 분이 어쩌면 그렇게 말을 싹싹하고 기특하게 할까요? 데레사는 잠시 침묵을 지키다 울먹이며 덧붙였다. 먹어준다니요. 먹어줄 사람을 생각하고 만들면 그렇게 된다니요?

베르타는 이건 바로 내 얘기가 아닌가 싶어 잠시 어리둥절했다. 마리아가 자신의 집에 일을 다녔던 한 달 남짓 동안 베르타가 느꼈던 바로 그 감정, 그 대화를 데레사가 고스란히 복기하고 있는 듯했다. 베르타는 먼 하늘을 바라보는 또래 친구 데레사에게 깊은 친밀감을 느꼈다.

어머, 아니 근데 왜 갑자기 이 생각이 났는지 모르겠는데요, 하고 데레사가 고개를 갸웃거리며 말했다. 마리아 이모님이 태극기도 팔러 다니셨다고 하더라고요.

태극기를? 올가가 물었다. 요즘 누가 그걸 산다고 팔러 다녀?

예전에 잘 팔릴 땐 하루에 백만원어치를 판 적도 있다더라고 데레사가 말하자 수산나가 에이, 설마, 하고 손을 내저었다.

아니, 저도요, 마리아 이모님한테 그런 얘기 들었던 거 같아요, 라고 사비나가 끼어들었다. 예전엔 집집마다 태극기 하나씩은 있어야 된다고 생각했잖아요? 그래서 새로 지어 입주하는 아파트 단지 앞에 가서 팔면 이사 들어온 사람들이 다들 하나씩 샀대요. 백만원까지는 몰라도 많이 파셨다고 했어요. 그렇죠, 데레사 자매님?

맞아요, 사비나, 하고 데레사가 대답했다. 시내에서 파는 게 아니라 시 외곽으로 멀리 돌아다니면서 판다고 하셨던 것 같아.

올가가 그럼 그건 아주 옛날얘기일 거라고, 옛날에 마리아가 별거 별거 다 팔러 다녔다고, 그런데 요즘 누가 태극기를 산다고, 주민센터 같은 데서 그냥 나눠주기도 하는 거를, 하는데 베르타가 불쑥 말했다.

아니에요, 올봄까지도 태극기를 팔러 다니셨어요.

모두 놀라고 의심쩍은 표정으로 베르타를 보았다.

제가 마리아 이모님 따라서 한 번 같이 간 적이 있어요. 그 동네 이름이……

베르타는 그 낯선 동네 이름이 생각나지 않아 미간을 좁혔다.

세상에, 베르타! 데레사가 믿을 수 없다는 듯 외쳤다. 같이 태극기를 팔러 갔었다고요?

네. 딱 한 번.

그래 태극기가 팔리더냐고 올가가 물었고, 베르타는 하나도 팔리지 않았다고, 아직도 이런 걸 팔러 다니네, 하고 다들 그냥 가더라고 대답했다. 그러게 안 팔린다니까, 올가가 말했고, 그 안 팔리는 걸 그럼 마리아 자매님은 왜 팔러 다녔을까요, 하고 수산나가 물었다. 베르타는 잠시 머뭇거리다, 모르겠어요, 저도 잘 모르겠어요, 하고 무슨 말을 더 할 듯하다 입을 다물었다.

그날 새벽 내내 잠을 설친 탓에 베르타는 마리아와의 약속을 취소하고 싶은 생각이 들었다. 하지만 일단 몸부터 일으키자 하니 일어나졌고 일어나니 이내 침대에서 내려오게 되었다. 욕실로 가자 하니 욕실 쪽으로 발이 움직였다. 신기하게도 마리아의 말대로였다.

몸이란 게 움직이자 달래면 움직여져요, 사모님.

만나기로 한 전철 역사 앞에서 베르타는 마리아가 헝겊 보따리를 실은 카트를 끌고 걸어오는 걸 보았다. 베르타가 손을 흔들자 마리아가 웃으며, 벌써 와 계셨어요 사모님, 했다. 그들은 역 안으로 들어가 일렬로 개찰구를 통과했다. 오늘은 어디로 팔러 가느냐고 문자 마리아가 그들이 도착해야 할 동네 역 이름을 말해주었는데 베르타로서는 생전 처음 듣는 이름이었다. 베르타가 낯선 역 이름을 되풀이하자 마리아는 네, 네, 사모님, 맞아요, 하더니 걱정스러운 얼굴로 열차를 한 시간은 넘게 타고 가야 하는데 괜찮겠느냐고, 잘못하면 한참 서서 갈 수도 있다고 말했다. 그때 베르타는 모험을 떠나는 소녀처럼, 마리아 이모님도 가시는데 제가 왜요, 하고 씩씩하게 반문했다.

다행히 열차 안은 한산해 그들은 나란히 앉을 수 있었다. 마리아는 카트의 바퀴가 구르지 않도록 카트 끈을 쇠봉에 요령 있게 묶어 고정했다. 베르타가 오늘 많이 팔릴까요 이모님 물으면 마리아가 글쎄요 사모님 답했고, 많이 팔리면 좋을 텐데 하고 말하면 마리아가 고개를 끄덕이며 금방 현충일 오고 육이오 오니까요 했다. 열차가 지하를 벗어나면서 차창 밖으로 산뜻하고 싱그러운 교외 풍경이 펼쳐졌다. 그들은 묵묵히 맞은편 차창을 바라보았다. 날씨는 더할 나위 없이 화창했다. 열차가 달리면서 내는 규칙적인 소음과 진동을 느끼며 베르타는 아련한 그리움에 잠겼다. 기차를 타고 이렇게 어디론가 멀리 가보는 것이 얼마 만인지 알 수 없었다. 베르타가 문득 얼마 전에 우연히 만난 고등학교 동창에 대한 얘기가 하고 싶어, 얼마 전에요, 하고 돌아보았을 때 마리아는 고개를 약간 늘어뜨린 자세로 눈을 감고 있었다. 베르타가 잠시 기다렸지만 마리아는 반응이 없었다. 베르타는 마리아를 물끄러미

지켜보다 아이를 재운 엄마처럼 푸근하고 여유로운 마음으로 맞은편 창밖을 마음껏 구경하기 시작했다. 저 창밖으로 흘러가는 풍경이 오로지 자신만을 위한 것이라는 만족감에 어깨가 움칠거릴 만큼 기뻤다. 마리아가 깨우기 전까지 베르타는 자신이 잠들었다는 사실을 몰랐다. 자신은 여전히 빛나는 눈으로 창밖으로 흘러가는 다채로운 풍경을 보고 있는 줄 알았다. 어둠 속에 불빛이 반짝거리는가 하면 노을이 붉었다가 해가 났고 또 비가 내렸다. 굳은 자세로 졸아서 그런지 자리에서 일어나는데 온몸이 뻣뻣했다. 그들은 전철 종점에 가까운 낯선 동네에 내렸다.

죽을 때까지 마리아에게 은밀한 기쁨이 하나 있었다면 그건 태극기를 팔러 가는 일이었다. 살기 위해 무엇이든 떼다 팔던 시절, 마리아는 몇몇 사람들과 함께 태극기 꾸러미를 리어카에 싣고 팔러 다닌 적이 있었다. 그러다 무엇에 홀린 듯 태극기의 매력에 사로잡히고 말았는데 그건 어쩌면 열아홉 살의 마리아가 미지의 나라인 독일로 출발하는 순간에 보았던, 태극기가 무수히 펄럭이던 장면의 뒤늦은 효과인지도 몰랐다. 현란한 태극 무늬와 검은 괘의 점선들은 그 당시 마리아의 가슴속을 가득 채우고 있던 희열과 공포를 그대로 찍어 인화해놓은 듯했다. 태극기가 더이상 팔리지 않아 팔려는 사람들이 다 떨어져나간 후에도 마리아는 혼자 태극기를 팔러 다녔다. 낯선 동네에 가서 하늘을 배경으로 자리를 잡고 주문 제작한 깃대 꽂이를 펼친 후 태극기를 꺼냈다. 접힌 깃대를 쭉 뽑아 깃발을 다양한 높이에 매달고 배치에 공을 들였다. 몇은 세우고 몇은 비스듬히 누이는가 하면 몇은 나란히 꽂고 몇은 꽃다발처럼 통으로 묶었다. 푸른 하늘을 배경으로 살랑거리며 늘어져 흔들리다 바람이 불면 펄럭이고 바람이 잦아들면 가라앉고 그늘이 드리우면 은은하게 시름에 잠긴 듯한 깃발들을 보고 있노라면 마리아는 불가해한 아름다움에 전율했고 마치 둘 사이에 어떤 필연성이라도 있는 듯 자연스레 첫아들의 청회색 눈동자를 떠올리곤 했다.

그런데…… 뭐 좀 여쭤보려다 말았는데요, 데레사가 목소리를 낮추었다. 아까 수산나 자매님이 언뜻 아들 그런 말씀 하셨잖아요? 저도 어디서 마리아 이모님한테 손녀딸 말고 아들이 있다는 얘기를 들은 적이 있거든요.

아들이요? 사비나가 물었다. 그럼 소피아 아빠 말이에요?

아들이 있긴 있는데, 하고 올가가 뭔가를 알고 있는 투로 말했다. 그런데 소피아의 아비라고 할 수는 없고.

네? 그게 무슨 말씀이세요? 사비나가 물었다.

나도 자세한 사정은 모르는데, 올가가 난처한 듯 수산나를 보았다. 이런 얘기를 해도 되나, 수산나?

데레사가 우리끼린데요 뭐, 하자 올가가 아니, 그래도 죽은 사람 개인사를 갖다가 우리가, 라고 말하는데 베르타가 제 생각이 짧은지는 몰라도, 라며 말을 끊고 들어왔다. 번번이 말을 끊고 들어오는 베르타를 올가는 불만스럽게 힐끔 쳐다보며, 사비나도 아니고 웬, 하고 생각했다.

이미 돌아가신 분이긴 하지만 그동안 마리아 이모님 사정이 얼마나 힘들고 고달팠을지, 이제라도 우리가 알아야 하지 않을까 싶어요. 그래야 우리가 함께 기도할 일이 있으면 기도하고 함께 도울 일이 있다면 도울 수도 있지 않을까요?

제 말이 그 말이에요, 하고 사비나가 말했다. 저도 베르타 자매님과 같은 생각이에요. 덩달아 데레사가 고개를 끄덕였고 올가도 마지못해 고개를 끄덕였다. 그러자 수산나는 긴 이야기를 할 수 있게 되어 다소 흥분된 기색으로 좌중을 둘러보았다.

그게 두어 달 전인가 그랬어요. 마리아가 고해성사를 청한 게.

안셀모 신부는 마리아로부터 고해를 듣고, 물론 고해 내용은 절대 발설할 수 없으므로 수산나로서도 전혀 알 수 없지만, 고해와 더불어 아주 중요한 부탁을 받았는데 그게 바로 장례에 대한 것이었다. 마리아가 그때 자신의 형편이 이러저러하니 자신이 죽게 되면 부디 신부님께서 장례를 맡아주십사 부탁했는데, 들어보니 그 이러저러한 형편이 참으로 놀라운 것이었다고 했다.

마리아 자매님이 신장암에 걸리셨는데, 하고 수산나는 말했다. 전이가 돼서 치료는 어렵다고 하고 아들 얘기를 하시더랍니다. 자매님한테 마흔이 넘은 아들이 하나 있는데, 친아들이 아니고 보육원에서 입양한 자식이라고 해요. 입양할 때부터 그런 지경이었는지 입양하고 나서 그렇게 됐는지는 모르겠지만 지금 정신병원에 입원중이랍니다.

아무래도 입양한 다음에 그렇게 됐겠지, 올가가 말했다. 여자 혼자 애를 키우기가 얼마나 힘든데 그렇게 장애까지 있는 걸 알고서야 입양했겠어?

여자 혼자? 사비나가 고개를 갸웃했다. 그럼 그건 미혼이라는 얘긴데, 맞죠? 마리아 이모님 결혼 안 하셨죠?

그 질문에 대답할 수 있는 사람은 아무도 없었다.

아무튼 뭐 결혼했다 이혼했다고 쳐도, 사비나가 이어 말했다. 여자 혼자 사는데 입양 허가가 나나요? 저는 안 내주는 걸로 알고 있어요.

그러니까 이게 정식 입양은 아니고, 사정을 잘 아는 수산나가 설명했다. 입양한 거나 다름없이 키우는, 그 뭐라더라, 장기 위탁 보호 뭐 그런 걸로 돼 있다고 해요. 소피아도 마찬가지고.

네? 사비나가 소리를 질렀다. 소피아도 친손녀가 아니에요?

아니, 아들도 친자식이 아니라는데 친손녀가 웬 말이오, 하고 올가가 타박을 놓자, 아, 맞다 맞네, 그렇네요, 그렇구나, 그렇지, 하고 사비나가 큰 깨우침이라도 얻은 듯 고개를 끄덕였다. 데레사와 베르타는 멍하니 서로 얼굴만 마주보았다.

마리아는 장례를 부탁하면서 장례미사를 위한 헌금도 냈는데 그때만 해도 안셀모 신부는 마리아가 이렇게까지 빨리 죽으리라고는 생각하지 못하고 그 뜻을 잘 알았다고 답하고 감사히 헌금을 받았다. 그때부터 마리아는 일주일에 한 번씩 성당 사택으로 반찬과 국을 날라왔고 죽기 바로 전주까지도 역시 반찬과 국을 만들어 날라주었는데, 그날 아침에 우리 신부님이 마리아가 만들어준 그 반찬과 국을 먹고 바로 당사자의 장례를 준비하러 나갔다고 수산나가 말하자, 올가가 그 참 기가 막히구만, 기가 막혀, 했다.

안셀모 신부는 마리아의 시신을 병원에 안치하고 장례식장을 예약한 후 마리아의 아들이 입원중인 병원으로 전화를 해서 빅토르의 상태가 어떤지 물었다. 오늘은 괜찮은 편이라는 사무장의 대답을 듣고 안셀모는 마리아의 부고를 전했다. 사무장이 어엇 외마디소리를 냈다. 어머니 장례인데 빅토르 형제님이 잠깐이라도 참석을 해야 하지 않겠습니까, 하고 안셀모가 묻자 사무장은 잠시 침묵하더니, 그게 상태가 괜찮다고 해서 외출을 할 수 있을 정도로 괜찮은지는 별개의 문제라고 했다. 안셀모가 담당의와 통화하고 싶다고 하자 사무장은 네, 네, 제가 지금 연결은 해드리겠습니다만, 그게요, 상태가 좋아서 외출을 할 수 있다고 해도 성당에서 도와주실 분들이 오지 않으면 우리 입장에서는 인력이 부족해서 말입니다, 하고 우는소리를 했다. 마리아가 틈만 나면 그 병원에 가서 온갖 간병과 간호 업무를 도왔다는 걸 알고 있는 안셀모는 치미는 역정을 참으며 말했다.

마리아님이 그동안 병원에서 봉사하신 걸 생각해보세요!

그러나 이 말을 하는 순간 안셀모는 마리아가 그 병원에서 몰래 마약성 진통제나 주사제를 빼돌렸다고 고해한 사실을 떠올렸고, 그러자 마리아가 고해한 모든 내용이 상기되어 고통스러웠다.

마리아님이, 그동안, 어떻게, 어떻게, 사셨는지를……

그러니까요, 사무장이 말했다. 저도 고마우신 우리 마리아님을 생각해서, 어떻게든 도와드리고 싶어서 이렇게 방편을 구하는 겁니다. 성당에서 더도 말고 덜도 말고 딱 두 분만 차를 가지고 와주신다면 제가, 제가 직접 아드님을 모시고 가겠습니다. 아드님이 돌발 사태에 어떤 행동을 하실지 모르니까 제가 주사며 구속복이며 만전을 기해 준비해가겠습니다. 마리아님 가시는 길인데 저도 가봐야지요. 그런데 지금 병원에 움직일 수 있는 차가 없습니다.

안셀모는 알았다고, 알아보겠다고 하고 전화를 끊었지만 평일 낮시간에 왕복 세 시간도 넘게 걸리는 시외 병원까지 운전과 이송을 맡아줄 형제 두 사람을 구할 수 있을 리 만무하다는 건 자신이 더 잘 알았다.

마리아의 장례는 성당 인근의 작은 장례식장에서 일일장으로 거행되었다. 신자들의 연도가 오전, 오후, 저녁으로 나뉘어 세 번 있었고 밤에 장례미사를 치렀다. 결국 빅토르는 오지 못했고 아홉

살 소피아만 종일 울기도 하고 졸기도 하면서 장례식장을 지켰다. 죽은 지 만 하루가 지나야 화장이 가능하므로 마리아의 시신은 병원 안치실에서 하룻밤을 지낸 뒤 다음날 새벽 곧바로 화장터로 향했다. 마리아가 간곡히 부탁했던 대로 이 모든 일을 안셀모 신부가 맡아 했다.

마약성 진통제도 듣지 않았고 속효성 패치와 주사제도 그 효과가 점점 짧고 미미해졌다. 마리아는 마지막 주사를 놓고 의식이 가물가물한 가운데서도 이제 다시는 태극기를 팔러 가지 못하겠다는 생각을 했다. 푸른 하늘을 배경으로 펄럭이는 태극기를 떠올리자 저절로 그 아이의 눈동자가 떠올랐다. 다섯 살 때의 빅토르도 예뻤고 팔 개월 된 소피아도 예뻤지만 마리아의 마음에서 첫아이 옆에 놓일 존재는 아무도 없었다. 그 아이와는 아무도, 비록 카디르조차 비교될 수 없었다. 거의 반세기 전에 처음 눈을 맞추었던 갓난 아들의 신비스런 청회색 눈동자가 어제 본 듯 생생했다. 니히트…… 미트 젤레……(마음으로…… 못해……), 마리아는 거의 반세기 동안 쓴 적 없는 독일어로 띄엄띄엄 중얼거렸다. 미트 쾨르퍼…… 추뤽……(몸으로…… 갚……)

성당에서 일행들과 헤어져 돌아오는 길에 베르타는 전철 역사 앞을 지났다. 마리아와 태극기를 팔러 갔던 날 아침에 만나 저녁에 헤어진 곳이었다. 베르타는 자기도 모르게 왼쪽 눈가를 비볐다. 그날 양산 살이 튕기듯 베르타의 왼쪽 눈가를 찍고 지나갔다. 베르타는 악 비명을 지르고 눈가를 짚으며 돌아보았다. 양산을 쓴 키 작은 여자가 가다 잠시 움찔하더니 그대로 빠른 걸음으로 날래게 내뺐다. 앞서가던 마리아가 카트를 내던지고 달려왔다.

왜 그러세요, 사모님?

저 여자 양산에 눈이 찔렸다고 베르타가 팔을 뻗어 가리켰다.

이봐요! 사모님! 사모님!

마리아가 외쳤지만 여자는 이미 저만치 멀어져 모퉁이를 돌아 사라졌다. 베르타는 기운이 쭉 빠져 그 자리에 쪼그리고 앉았다.

어디 봅시다, 사모님!

마리아가 베르타 앞에 쪼그리고 앉아 얼굴을 가까이 댔다. 베르타는 눈을 가렸던 손을 내렸다. 마리아가 여기요, 여기예요, 하고 조심조심 베르타의 눈꼬리를 문지르며, 눈동자는 안 찔린 것 같죠 사모님, 하고 물었다. 그런 것 같다고 말하자 그럼 괜찮아요 사모님, 큰일날 뻔했지만 다행이에요, 저 사모님은 해도 다 졌는데 웬 양산을 쓰고 다녀서 이렇게 사모님 놀라게…… 마리아가 뭐라고 떠드는데 양산으로 남의 눈이나 찌르고 다니는 여자를 사모님이라고 부르는 것도 거슬렸지만 무엇보다 마리아가 말하는 동안 뿜어져 나오는 숨결 냄새가 지독해 베르타는 토할 것 같았다. 시큼하고 구린 구취에 베르타는 엉겁결에 마리아를 밀쳤고 마리아는 뒤로 밀려 엉덩방아를 찧었다.

도대체 이모님은 뭣 때문에, 베르타가 앙칼지게 물었다. 하나도 못 팔 거면서 그깟 태극기는 왜 그 먼 데까지 팔러 다니시는 거예요?

마리아가 쩔쩔매면서 대답했다.

모르겠어요. 저도 잘 모르겠어요, 사모님.

거기까지였다고 베르타는 생각했다. 그날 저녁까지만이었다고. 남편이 죽고 나서 자신이 제법 철이 들고 너그러워졌다고 확신할 수 있었던 때는, 불안과 초조와 결벽에서 벗어날 수 있고 기쁨에 젖어 기도를 올릴 수 있으리라는 섣부른 믿음을 품었던 때는 봄 바자회에서 마리아를 만나 함께 태극기를 팔러 갔던 그날 저녁까지만이었다고. 불과 한 달 정도밖에 안 되는 그 잠깐 동안뿐이었다고. 눈을 찌른 여자의 양산이 싸구려가 아니었다면, 마리아의 구취가 진통제의 부작용으로 인한 오심과 구토 때문이라는 걸 알았다면, 그랬다면 뭔가 달라졌을까.

베르타는 비웃듯이 입가를 비틀었다. 조금 전 성당 안뜰에서 그들은 당장 내일이라도 빅토르의 병원에 달려가 봉사할 듯이, 앞다투어 소피아의 입양을 주선할 듯이 떠들어댔지만 내일이 되면 그들 중 누구도 마리아의 얘기를 꺼내지 않을 것이다. 그들은 조금도 믿지 않으면서 무엇을 위해 그런 허튼소리들을 내뱉은 것일까.

베르타는 가을 저녁의 찬 기운에 오싹함을 느꼈다. 자신이 왜 그들과 계속 만남을 이어왔는지가 분명히 이해되었다. 참 고귀하지를 않다, 전혀 고귀하지를 않구나 우리는…… 베르타는 카디건 앞섶을 여미고 종종걸음을 쳤다. 한 계절이 가고 새로운 계절이 왔다. 마리아의 말대로라면 새로운 힘이 필요할 때였다.

각각의 계절을 나려면 각각의 힘이 들지요, 사모님.

무구

차는 늘 그렇듯이 쇼핑몰 후문 앞에 섰다. 소미가 조수석 문을 열고 내리며 그럼 가요, 하자 남편은 이따 봅시다, 하고 차를 몰고 떠났다. 오전 아홉시 반, 그들 부부의 시간이 나뉘어 각자의 하루가 시작되는 순간이었다. 쇼핑몰은 개장 전이었지만 지하로 통하는 후문은 열려 있었다. 소미는 후문으로 들어가 지하로 내려가는 엘리베이터를 탔다. 지하 일층의 뷰티숍은 아홉시에 문을 열었고 사우나는 이십사 시간 영업중이었다.

소미는 회원증을 찍고 뷰티숍으로 들어가 로커룸에서 옷을 갈아입었다. 입고 온 옷을 옷걸이에 걸고 파우치에 담아온 얇은 면 가운을 꺼내 입었다. 숍에서 제공하는 가운이 있었지만 소미는 늘 집에서 가져와 입었다. 저희는 정말 청결을 최우선으로 해서 관리

한다고, 수건이나 가운을 세탁 공장에 맡기지 않고 직원들이 직접 세탁하고 세탁 후 반드시 삶음 코스로 이십 분이나 돌린다고 매니저가 얘기했지만, 수건은 괜찮은데 가운은 이게 편해서요, 하고 소미는 말했다. 눈치 빠른 매니저는 이해한다는 얼굴로 고개를 끄덕였고 이후 다시는 가운 얘기를 꺼내지 않았다. 남 보기에 튀지 않으려고 소미는 숍에서 주는 가운과 비슷한 베이지색 면 가운을 여덟 개나 갖고 있었다.

소미는 매니저의 안내를 받아 십여 개의 칸막이로 나뉜 방들 중 한 곳에 들어갔다. 잠시 후 가벼운 노크 소리가 들리고 안마사가 들어와 인사를 했다. 안마 준비를 마친 여자가 시작한다는 뜻으로 어깨에 손을 올려놓았고 소미는 눈을 감았다. 남편은 지금쯤 실외 연습장에 도착해 가벼운 스트레칭을 마치고 샷 연습을 하고 있을 것이다. 공을 두 박스 정도 치고 나면 헬스센터에서 땀을 낸 후 샤워를 하겠지. 어쩌면 오늘은 다 귀찮다고 피시방에서 게으르게 점심때까지 뭉갤지도 모른다.

그들 부부는 은퇴 생활자였다. 남편은 환갑을 훌쩍 넘겼고 소미는 돌아오는 7월이면 환갑이 된다. 그들에겐 자녀가 없었다. 그들 부부가 이렇게 윤택하고 안정적인 노후를 보내게 된 지는 채 일 년도 되지 않았다. 이게 말하자면…… 전적으로는 아니고 일부, 극히 일부는 현수의 덕이라는 걸 소미는 부인할 생각이 없었다. 현수 생각을 하면 아직도 가슴이 두근거렸다. 원망 때문인지 그리움 때문인지, 아니면 일말의 불안감 때문인지 소미는 알지 못했다.

소미가 이십 년이 넘어 현수와 다시 만난 건 페이스북을 통해서였다. 한때 소미와 같이 구역예배를 보던 집사 중에 부동산에 관심이 많은 여자가 있었는데, 소미는 그 여자와 페친이었다. 그 여자가 페북에 올리는 글들은 대부분 부동산과 관련된 내용이었다. 소미는 그런 쪽으로는 아는 바가 없었지만, 재미삼아 그 여자가 올린 주택이나 임야의 사진을 구경하고 매매에 관심을 보이는 댓글들을 훑어보곤 했다. 때로 솔깃한 건수도 있었다. 어느 날 무심히 스크롤바를 내리다가 소미는 고현수라는 이름을 발견했고 대학 동기였던 고현수를 떠올렸다. 설마 이 현수가 그 현수일까.

고현수의 댓글은 부동산 전문용어를 섞어 쓴 짧은 글이었는데, 소미로서는 몇 번을 읽어도 그래서 어쩌라는 것인지, 사라는 권유인지 말라는 만류인지 모호한 느낌이었다. 그러나 의외로 그 밑에, 어머, 고현수님은 역시 전문가라 다르시네요, 분석의 갓 어쩌고 하는 그 여자의 칭찬 답글이 달려 있어 소미는 놀랐다. 둘이 친한가. 소미는 곧바로 그 여자 글 밑에 안녕하시냐는 안부 댓글을 달았다. 자신의 이름을 보고 고현수가 반응을 하는지 알고 싶어서였다. 현수는 곧바로 반응했다.

임소미님, 혹시 독문과 나오지 않으셨나요? 제가 아는 친구하고 이름이 같아서요. 실례였다면 용서하세요.

큰마음 먹고 현수를 처음 만나러 간 날, 아침 아홉시에 출발한
소미는 전철과 기차와 택시를 갈아타고 두 시간 반 만에야 현수가
말해준 U시의 부동산 사무실에 도착할 수 있었다. 그렇게 오래 걸
릴 만큼 먼 거리는 아니었는데 전철과 연계된 기차를 놓치는 바람
에 삼십 분 넘게 기다려야 했고 버스 정류장에서도 뭐가 잘못되었
는지 십오 분 넘게 기다려도 버스가 오지 않아 너무 추워서 택시
를 잡았다. 다행히 택시는 소미를 현수의 부동산 사무실 앞에 정
확히 내려주었다.
　사무실 문을 열고 들어서자 아무도 없고 낯선 여자가 몸을 일
으키며 어서 오세요, 했다. 여기 혹시 고현수씨, 하는데 상대 여자
가 히익 웃으며 나 고현수, 너 임소미 맞지, 했다. 그 말을 듣고 곰
곰이 뜯어보니 현수가 맞는 것 같았다. 그러나 아무리 이십 년 넘
는 세월이 흘렀다지만, 현수는 마흔다섯 살이라기엔 너무 늙어 보
였다. 더구나 정오도 안 되었는데 잔뜩 지쳐버린 얼굴에 예전보다
살도 많이 쪘다. 그래서인지 한편으로 기이한 활력이 느껴지기도
했다. 그들은 반갑게 손을 맞잡고 인사를 나누었다. 이렇게도 만
나지는구나, 현수가 놀랍다는 듯 말했고, 소미도 그러게 말이야,
맞장구를 쳤다. 앉으라는 말도 없이 책상 위를 주섬주섬 정리하던
현수가 배고프다고 점심이나 먹으러 가자고 했다.

만둣국 잘하는 데 있는데 어때?

소미는 좋다고 했다. 현수는 소미를 앞세우고 사무실을 나와 문을 잠그더니 뒤편 마당에 세워둔 팥죽색 비슷한 빛깔의 낡은 승용차를 향해 갔다. 현수는 차문에 키를 넣고 인상을 쓰며 돌렸는데, 그건 정말 비틀어 연다고 할 수밖에 없을 정도로 힘이 들어간 동작이었다. 소미가 앞문을 열고 타려 했지만 문은 꿈쩍도 하지 않았다. 운전석에 탄 현수가 팔을 뻗어 잠금장치를 뽑아주었다. 소미는 아직도 수동 잠금장치인 차가 있다는 데 놀랐다. 차 안에서는 오래된 차에서 날 법한 묵은 냄새가 났고 히터를 틀자 냄새는 더 고약해졌다.

소미가 페북의 그 집사님을 잘 아느냐고 묻자 현수는 잘 모른다고, 그 여자가 집사냐고 되물었다. 근처 지리에 밝은 사람답게 현수는 국도를 달리다 좁은 골목으로 꺾어 들더니 이리저리 우회전 좌회전을 하며 달렸고 심지어 포장도 안 된 논둑길을 흙먼지를 날리며 달리기도 했다. 논둑길 중간쯤에서 현수가 소미를 돌아보며 뭐라고 말했다. 차가 빨리 달리지 않는데도 엔진소리가 시끄러워 잘 알아들을 수 없었다. 안 들린다고 소미가 소리치자 현수는 고개를 끄덕였다.

드디어 목적지에 도착했는지 현수가 차를 세웠다. 시동이 꺼지자 일순 조용해졌다. 조금 전에 뭐라고 했느냐고 소미가 묻자 현수는 별말 아니라며 웃었다. 소미가 뭔데, 하고 한번 더 묻자 현수는 천하의 임소미도 늙는구나 했다. 왜? 했다. 소미는 누가 누구보고 그런 말을 하는지 어이가 없었지만, 그럼 늙지, 그때가 언젠데, 하고 말았다. 그들은 차에서 내렸다. 누런 풀이 말라붙은 공터 주변은 춥고 적막했다. 그래서 소미는 현수가 키를 넣어 차문을 비틀어 잠글 때 열쇠 구멍 안에서 차가운 녹가루가 떨어지는 희미한 소리를 들은 것도 같았다.

그때라…… 현수가 하늘을 한 번 보고 소미를 보았다. 그때 우리는 젊었으며…… 두렵고 또 두려웠지.

저게 무슨 말인가, 소미는 멍하니 생각했다. 아니 무슨 아직도 저런 말을 하고 있나, 생각했는지도 모른다. 현수가 담뱃갑에서 담배 한 개비를 꺼내 소미에게 내밀었다. 그 동작이 너무 자연스러워 소미도 자연스레 받아서 입에 물었다.

그때 그들이 마흔다섯, 그러니까 그게 벌써 십육 년 전이었는데, 현수를 U시에서 처음 만난 날의 기억은 소미에게 어제 일처럼 분명히 자리잡고 있다. 그날 그들이 식당에서 주문한 음식을 기다리고 있을 때 옆자리에서 요란스러운 소리가 났다. 옆자리에는 아이 둘을 데려온 젊은 부부가 앉아 있었는데 네댓 살쯤 된 큰애가 음식 그릇을 바닥에 떨어뜨린 모양이었다. 부부가 잠시 침묵하는 사이 아이가 갑자기 비명을 지르듯 악을 쓰며 울기 시작했다.

미안해요 미안해요 엄마

그릇이 떨어진 소리보다 그 처절한 부르짖음 때문에 손님들의 시선이 그쪽으로 향했다. 여자가 허리를 구부려 테이블 아래 쏟아진 음식물을 맨손으로 쓸어 담는 동안에도 아이는 쉬지 않고 미안해요 미안해요 엄마 하고 소리를 질러댔다. 남자가 됐어 조용히 해 응 조용히, 했지만 아이는 그치지 않았다. 여자가 허리를 펴고 테이블 위에 그릇을 올려놓은 뒤 아이의 양어깨를 꽉 붙잡았다. 소미로서는 앗, 저 손을 닦지도 않고, 싶었지만 다행히 엄마에게 붙잡힌 아이는 좀 징징거리더니 거짓말처럼 조용해졌다.

소미와 현수가 시킨 만둣국이 나왔다. 알이 굵으니까 여기 놓고 꺼먹어, 하고 현수가 앞접시를 들어 보였다. 소미가 굵은 만두 한 알을 앞접시에 덜어놓는데 옆자리 남자가 애는 또 왜 이래 이거 왜 이래 이거, 하고 소리쳤다. 돌아보니 남자의 시선은 옆자리 유아차에 앉혀둔, 앉혀두었다기보다 담요로 칭칭 감아 묶어둔 듯 보이는 작은애를 향해 있었다. 돌쯤 되었나 싶은 작은애가 입가에 흰 국물을 흘리며 토하고 있었다. 여자가 무표정한 얼굴로 아이를 바라보는 동안 남자가 말했다.

너는 넌 응 이럴 걸 몰라서 애들을 응 밖에 애들을 둘씩이나 끌고 나와서 뭘 먹자는 게 응 말이 되냐 말이 돼 말이 되냐고 말이 된다고 생각해

소미는 현수를 보았다. 현수도 앞접시의 만두를 건성으로 끄면서 곁눈으로는 조심스레 옆자리 가족을 살피고 있었다. 자리에서

일어난 여자가 아이에게 다가가 거즈 손수건으로 입과 턱을 닦아주고 포대기를 어깨에 걸더니 남자를 향해 몸을 틀었다. 남자가 칭칭 동여놓은 아이를 풀어 여자의 포대기에 업혀주었다. 아이를 업은 여자는 테이블 사이에 서서 한참 동안 몸을 흔들었는데 그 때문에 소미는 정신이 사나웠고, 여자가 몸을 흔들다 말고 허리를 구부려 무언가를 먹을 때면 들린 포대기 자락이 그들 테이블의 반찬에 닿을 것 같아 불안했다. 잠시 후 여자의 몸에 가려 보이지 않는 상태에서 남자의 목소리가 들려왔다.

조경수 장난하냐 장난해 응 삼켜 삼키라고 아 해봐 응 아 해봐 아 해보라고

잠시 후 알았어 알았어 알았어 하는 큰애의 짜증스러운 대답이 들려왔고, 곧이어 쥐어짜는 듯한 목소리로 삼켰어 삼켰다고 하는 외침이 한번 더 들려왔다. 소미와 현수가 만둣국을 다 먹어갈 때쯤 옆자리 가족은 자리를 떴다. 그들이 나가는 과정도 너무 어수선해서 그들이 나간 후엔 식당 안에 홀연 정적이 드리운 듯했다.

소미가 속삭이듯이 애 말투가, 하자 현수가 딱 지 아빠네, 했다. 그러더니 저 가여운 부부도 미쳐가는 중일 거라고 했다. 왜, 하고 소미가 묻자 현수는 어딘가를 향해 휙 턱짓을 했다.

저기 샘골 쪽 아파트! 그거 덥석 상투 잡고 들어온 게 뻔하지. 한때 하루가 다르게 오르던 때가 있었거든.

소미는 일주일에 한 번, 그러다 두세 번, 나중에는 주말만 빼고 거의 매일 U시로 현수를 만나러 갔다. 가는 데 요령이 생겨 시간도 단축되었다. 전철, 기차, 버스 또는 택시를 타고 현수의 사무실로 가서 늘 그렇듯 팥죽색 차를 타고 간판도 없는 식당에 가서 만둣국이나 칼국수, 또는 칼만둣국이나 떡만둣국을 먹었다. 만두나 칼국수도 맛이 좋았지만 찬으로 내주는 뜬금없는 동치미가 쩽하고 시원했다. 식당에서 나와 사무실로 돌아가는 길에 그들은 폐업한 카페 주차장에 차를 세우고 담배를 피웠다. 춥고 비가 올 때는 차창을 열고 차 안에서 피웠지만 날씨가 풀리면서 벤치에 앉아 피우는 날이 많아졌다. 앞에 작은 실개천이 흘렀는데 실개천 물을 내려다보며 이런저런 얘기를 주고받았다.

약속한 것도 아닌데 소미도 현수도 서로에게 과거를 먼저 물어보는 일은 없었다. 하지만 자주 만나다보니 소미는 드문드문 들은 현수의 말을 통해 그동안 현수가 어떻게 살아왔는지를 대충이나마 꿸 수 있었다. 아마 현수도 자신에게 드문드문 들은 말로 자신의 이력을 대충 꿰었을 수 있지만, 소미는 자기가 현수에게 무슨 얘기를 했고 현수가 그것을 통해 자신의 이력을 어떻게 꿰었을지를 전혀 짐작할 수 없다. 지금 생각해도 이상한 것은, 현수에게 들은 말은 자신의 기억 속에 저절로 퍼즐이 맞춰져 어떤 형태를 갖추었지만, 자신이 현수에게 한 말은 허공에 산산이 흩어져 그런 파편적인 정보로 현수가 자신의 삶을 상상했다면 그건 매우

허술하거나 왜곡된 것이지 않을까 싶다는 것이었다. 그러나 현수는…… 현수 입장에서는 반대로 생각했을 거라고, 이제야 소미는 생각한다.

아무튼 소미가 펜 바로, 현수는 4학년 1학기 때 학교를 그만두고 현장으로 갔고 거기서 만난 사람과 결혼을 했다. 그 사람의 정체에 대해서는, 성격이나 버릇 같은 것은 몰라도, 소미 생각에 가장 중요하게 여겨지는 출신에 대해서는 현수가 말해주지 않아 학출인지 노출인지 알 수 없었다. 그러나 그런 것이야말로 아무리 궁금해도 절대 먼저 물어서는 안 되는 것이었다. 그러다가 현수는 언제쯤인지 소미로서는 알 수 없는 시점에 그 사람과 이혼했고, 딸 둘을 혼자 키우고 있다고 했다. 큰딸이 벌써 대학생이라니 현장에서 만난 사람과는 스물넷이나 다섯쯤에, 그러니까 다소 이른 나이에 결혼해서 아이를 낳았겠구나 싶었다.

현수가 지금까지 두 딸을 무슨 돈으로 어떻게 키웠는지는 알 수 없었다. 다만 현수는 칠팔 년 전에 이곳 U시로 내려와 여러 일을 전전하게 되었다고 했는데 그 얘기는 제법 자세히 들려주었다. 처음에는 U시 인근에서 활동하는 단체에 소속되어 급식업체에 친환경 식재료를 납품하는 일을 맡아 했는데 이런저런 사정으로 일이 틀어지고 단체도 깨졌다고 했다. 그후엔 납품 일을 하면서 알게 된 사람을 통해 웨딩홀이나 연회장에 피로연 음식을 대는 케이터링 업체에서 일했다. 그러다 또다른 사람의 소개를 받아 잠깐 부동산 중개업소 일을 도왔는데 그때 우연히 덩치가 큰 계약을 무리 없이 성사시킨 덕에 제법 큰 규모의 중개업소에 스카우트되어 일하다 지금은 독립해서 사무실을, 현수 표현대로라면 '작은 복덕방'을 차리게 되었다는 것이었다.

한 이삼 년 됐나, 이 동네가 이렇게 정신 하나도 없어진 게, 라고 현수는 말했다. U시를 둘러싼 군과 면 지역의 부동산업자들이 일하는 걸 보고 현수는 놀라지 않을 수 없었다고 했다. 그들의 하루 이십사 시간 스케줄이 얼마나 촘촘하게 짜여 있는지 대통령이나 총리라도 그 정도의 살인적인 스케줄은 소화하기 어려울 것이라고, 그런데 하물며 그들은 비서나 보좌진도 없이 그런 일정을 해치운다고 현수는 혀를 내둘렀다. 현수가 독립하기 전에 직원으로 일했던 제법 큰 규모의 중개업소 사장이 바로 그러해서 현수는 처음엔 뭣도 모르고 사장을 롤 모델로 삼을 뻔했다고 말했다.

어떻게 사장이 직원들보다 더 죽기 살기로 일하냐? 내가 살다 살다 그런 건 또 처음 봤으니까. 이건 뭐 계급투쟁의 빌미를 안 주는구나 싶더라고. 그런데 역설적으로 말이야, 여기 업자들의 혼을 쏙 빼놓는 워커홀릭의 원인이 뭐냐 하면, 하고 현수는 눈을 가느스름하게 뜨더니, 그건 U시 주변에 몰락이 임박했기 때문이라고, 그런 종류의 불길한 예감이 급속히 확산되고 있기 때문이라고 말했다.

망할 것이다, 조만간. 그런 기운이 가득한 동네거든, 이 동네가.

그런 동네의 무시무시한 열기를 소미 너는 상상도 못할 거라면서 현수는, 그래서 재미가 있다면 있지, 사람들이 막 미치는 게 보이니까, 막 던지고 막 주워먹고, 했다.

그러니까 나도 따라서 막 미치는 거 같고. 나도 돈 있으면 꼭 사고 싶어 죽겠는 땅이 하나 있거든. 그 땅은 무구해. 아직 때를 안 탔어. 그 땅은 어디 소개를 안 시켜. 나랑 동네 사람들 몇만 알지. 내가 주인한테 꼭 사겠다고 얘기해놨는데, 아직은 무사하지만 또 모르지. 언제 누가 날름 주워먹을지.

어딘데? 소미가 물었다.

한번 보러 갈래?

가보자.

야, 임소미, 정신 차려, 너도 지금 막 미쳐가는 중인 거야, 하고 현수가 웃었다.

집과 집터는 야트막하지만 드넓은 야산을 배경으로 국도변 길 모퉁이에 있었다. 집은 옛날식 회색 슬레이트 지붕에 울퉁불퉁한 시멘트 벽돌로 지은 건물로 사람이 살지 않은 지 일이 년밖에 안 되었다는데 소미 눈에는 십 년은 되어 보였다. 마당과 건물 주변, 지붕까지 누런 풀과 웃자란 관목들로 둘러싸여 있어 멀리서 보면 쓰러져가는 초가집인가 싶을 정도였다.

그게 장점이지. 그래서 싸니까. 현수가 담뱃재를 톡톡 떨며 말했다.

얼만데?

그렇게 비싸진 않아. 현수는 한푼도 깎을 수 없는 정확한 가격을 말해주었다.

집터는 넓은 편이었고 땅의 경계를 표시하듯 마당 양끝에 커다란 나무가 두 그루 서 있었다. 도로에 접해 있지만 앞마당이 넓고 집은 뒤로 훌쩍 물러나 있어 한갓졌다. 소미는 현수가 왜 이 땅을 사고 싶어하는지 알 것 같았다.

돌아가는 길에 소미는 현수에게 그 땅을 사자고, 같이 사자고 했다. 현수는 돈이 없는걸 뭐, 했다. 소미는 진지하게 돈은 일단 자기가 마련해보겠다고, 대신 나중에 반은 무조건 현수에게 팔겠다고, 돈 생기면 원래 가격에 은행 이자만 붙여서 사라고 했다. 이익을 봐도 손해를 봐도 우리가 같이 보는 게 중요하다고도 했다.

어때?

현수는 생각 좀 해보자고 하더니 소미가 전철역에서 서울행 열차를 기다리는 중에 좋다는 문자를 보냈다. 하지만 현수는 소유를 공동명의로 하는 것만은 끝까지 사양했다. 자기가 땅값의 반을 내는 날 명의를 공동으로 바꾸자고 했다.

그 땅을 산 후로 소미는 U시에 내려가는 재미가 배가되었다. 그들은 틈만 나면 부동산 사무실 문을 잠그고 그 집에 가서 마당의 풀을 뽑아 길을 내고 집안을 치웠다. 날이 더워졌고 풀은 기승을 부렸다. 6월의 어느 날도 소미는 그 집에 있었다. 현수가 일보러 가는 길에 소미를 그곳에 내려주고 일 마치고 가는 길에 데려가겠다고 했다. 소미가 부엌 쪽 잡동사니를 정리하고 문턱에 앉아 담배를 피우고 있을 때 막 밭을 매고 집에 돌아가는 중으로 보이는 늙은 여자가 집 앞마당을 가로지르다 말고 누구냐고, 남의 집에서 뭐하는 거냐고 소리쳤다. 허락도 없이 남의 앞마당을 가로지르면서 누가 누구보고 그런 소리를 하나 싶었지만 소미는 웃음을 참으며 제가 이 집 주인이에요, 했다. 여자가 놀라며 이 집을 샀느냐고 물었다. 소미가 그렇다고 하자 여자는 더욱 놀라며, 아니 뒤에 크다란 묘역이 들어설 땅을 왜 하필 지금 샀대요, 했다. 벌써 아랫녘에 가묘 져놓은 것도 숱한데. 묘역 초입이라고 매점이나 할라 생각하는가 몰라도 아마 그것도 못할 거를. 묘역 안에 떡하니 허가받은 상가 건물이 선다니까.

데리러 온 현수의 차를 타자마자 소미는 그 얘기부터 했다. 현수는 심드렁하게 여기 별말이 다 도는 동네라고, 일단 무슨 얘긴지 알아는 보겠다고 했다. 소미가 말없이 앉아 있자 현수가 불안하냐고 물었다. 소미는 대답하지 않았다. 현수는 걱정 말라고, 그 동네 사람들이 가만있지 않을 거라고, 어느 동네건 묘역 같은 건 그렇게 쉽게 못 들어온다고 했다. 그때 소미의 전화벨이 울렸다. 아버지가 갑자기 쓰러져 응급실에 실려왔고 곧 수술에 들어갈 거라는 엄마의 전화였다. 현수가 소미를 위로하며 바로 기차역까지 데려다주었다.

그후로 소미는 아버지가 돌아가실 때까지 두 달 동안 간병에 정신이 없었고 이후엔 장례를 치르고 상속 문제를 처리하느라 또 시간을 내지 못했다. 간병 초기에는 현수와 몇 번 통화도 하고 문자도 주고받았다. 현수는 묘역 얘기는 떠도는 소문일 뿐 확실한 건 하나도 없다고, 누가 뒤에서 장난치는 거 같다고 했다. 또 혹시라도 상황이 안 좋게 돌아가면 손해보기 전에 빨리 처분하겠다고 소미를 안심시켰다. 그러나 언제부턴가 현수는 소미의 메시지에 답장을 늦게 하거나 전화를 잘 받지 않았다. 나중엔 아예 전화를 받지 않더니 얼마 안 돼 없는 번호라는 음성 메시지가 흘러나왔다. 소미는 전철과 기차와 택시를 갈아타고 U시로 갔다. 현수의 사무실 문은 잠겨 있었고 팥죽색 차도 사라지고 없었다.

그뒤로 십육 년이 흐른 지금까지 소미는 현수를 만난 적이 없다. 그때 그 땅을 사지 않았더라면 아직도 현수와 만나고 지낼까, 소미는 알 수 없다. 그 일이 아니었어도 다른 일이 생겼을 수 있고 그 때문에 그들의 관계가 끊겼을 수 있지만 그래도 이런 식은 아니었을 거라고, 다시는 못 만나는 식으로는, 다시 만나서는 안 되는 식으로는 아니었을 거라고, 소미는 생각한다.

환풍기 돌아가는 소리가 들린 후 좁은 방 안에 독한 담배 냄새 같은 마른 쑥 타는 향이 퍼졌다. 불붙인 쑥뜸이 소미의 배 위에 차례로 올려졌다. 쑥뜸을 뜰 때면 소미는 늘 담배 생각이 났다. 현수와 만나지 못하게 되면서 담배를 끊었지만 곧바로는 아니었다. 현수가 사라진 후 소미 혼자 그 집에 갔던 숱한 날들이 있었다. 마당의 푸르던 풀이 시들고 낙엽이 수북수북 쌓여 한층 퇴락해 보이는 집 마루턱에 몇 시간이고 앉아 국도를 지나가는 트럭 소리를 들으며 담배를 피우던 날들이 있었다. 설령 묘역이 선다 해도 어쩔 수 없는 일이라고 소미는 생각했다. 그건 사람 힘으로 어떻게 할 수 있는 일이 아니니까 현수의 탓도 자신의 탓도 아니었다. 그런데 현수는 자신을 혼자 이 폐가에 남겨두고 사라졌다. 아무리 주변 시세에 비해 싸다고는 해도 소미로서는 엄청난 돈을 긁어모아 모험을 한 것이었다.

시간이 흐를수록 소미는 자신이 미쳤다고밖에는 생각할 수 없었다. 그렇다면 미치게 된 시점은 과연 언제부터일까, 소미는 골똘히 생각하고 또 생각했다. 페북에서 집사의 부동산 경매 글을 읽으면서부터? 현수를 만나면서부터? 현수를 보러 매일 U시로 가서 함께 만둣국을 먹던 그때? 담배를 피우며 가끔 미치게 좋아서 울고 싶던 그때? 현수에게 땅 얘기를 듣고 보러 가자고 한 그때? 무구한 땅을 사자고 결심한 그때? 아니면 계약서에 도장을 찍은 그때?

쑥뜸이 타들어가면서 뱃속을 데우는 온기가 자극적이면서 감미롭게 퍼져나갔다. 혹시 내가 미쳤다면 그 시점은 아마…… 아마…… 그 땅을 처음 본 순간이겠지, 하고 소미는 미소를 지었다. 나도 보는 눈은 있었으니까.

잠깐 미쳤던 대가는 혹독했다. 소미는 그 땅을 살 때 모아놓은 현금 전부에 엄청난 빚을 얻어 보탰다. 아버지가 죽고 물려받은 유산으로 일부 빚은 갚았지만 여전히 남아 있는 원금에 적지 않은 이자 부담이 있었다. 남편이 알아채지 못하게 하느라 소미는 안간힘을 썼다. 다행히 그들에겐 자식이 없었고 큰돈이 들지 않아 겨우겨우 빚을 꺼나갈 수 있었다. 그렇게 악착을 떨며 십 년 이상을 버텨낸 자신이 소미는 장하고 기특했다. 돌아보면 충분히 치를 만한 가치가 있는 일이었다.

소미가 남편에게 땅의 존재를 알린 날 남편은 당장 월차를 내고 그 땅을 보러 가자고 했다. 그들 부부는 차를 몰고 U시로 가서 땅을 둘러보고 부동산에 들렀다.

묘역이요? 묘역은 무슨 묘역? 아, 옛날에 잠깐 그런 얘기가 있었나본데 동네 사람들이 그걸 두고 보나? 그렇게 죽자고 반대들을 해대는데 어떻게 묘역이 들어와?

묘역은커녕 소미의 집 뒤편 야산에는 펜션 빌리지가 들어설 예정이었다. U시 기차역 근저에 전문대학이 옮겨왔고 소미의 집 근처에 있는 리조트에서 커다란 워터파크를 짓고 있었다. 그들 부부는 주말이면 U시로 가서 이 땅에 무엇을 하면 좋을까 고심하다, 어엿이 '샘골식당'이라는 간판을 만들어 단 예전 그 식당에서 만

듯국을 먹고 돌아왔다. 남편이 앞당겨 명퇴를 하고 명퇴금에 담보 대출을 보태 건물을 지었다. 다 지은 후에 차근차근 임대 보증금을 받아 대출금을 갚았다. 지금 건물이나 임대료 관리는 남편이 맡아 하고 있었다.

언뜻 소미는 오늘이 건물 일층 편의점에서 세가 들어오는 날인가 생각했다. 그럼 남편은 U시에 갔을지도 모른다. 편의점 주인이 내내 우는소리를 하더니 지난달엔 말도 없이 세를 반밖에 넣지 않았다고 했다. 유흥지에는 언제나 성수기와 비수기가 있다. 곧 봄이 오고 코앞에 있는 리조트의 워터파크가 개장하면…… 그러다 소미는 다른 생각에 빠져들었다.

언젠가 한번 소미는 그 땅을 싸게라도 팔아치우려고 한 적이 있었다. 묘지로 둘러싸일 땅을 붙들고 있으면 뭐하나, 던져버리자 싶어 충동적으로 땅을 부동산에 내놓았다. 업자 말로는 산 값의 반도 받기 어려울 거라고 했지만 소미는 어떻게든 팔아달라고 했다. 얼마 뒤 업자가 연락을 해서 마침 사겠다는 외지인이 나섰는데 손해를 보더라도 이 기회에 처분하는 게 좋을 거라고 조언했다. 소미는 매매계약을 하러 전철과 기차를 갈아타고 U시 역으로 갔다. 시간이 일렀고 배도 고파서 소미는 택시를 잡아타고 만둣국을 파는 식당에 갔다.

그날의 기억도 소미에겐 현수를 처음 만난 날의 기억만큼이나 선명했다. 만둣국을 시키고 옆자리를 보니 연인으로 보이는 젊은 남녀가 마주앉아 있었다. 남자가 동치미 국물을 떠먹고 눈을 동그랗게 뜨더니 오오 소리를 냈다. 오빠 맛있지, 여긴 밥도 공짜야, 하고 여자가 말했다. 주문한 음식이 나오자 여자는 숟가락 두 개를 이용해 자신의 그릇에서 큼직한 만두를 조심스럽게 건져 앞접시에 세 알을 덜어놓고 나서 남자의 그릇에서 만두 한 알을 꺼내 세 알 위에 얹었다. 남자가 하나 더 가져가, 했지만 여자는 아니야, 오빠 먹어, 했다. 그렇게 만두 네 알을 따로 건져놓고서야 여자는 숟가락으로 그릇 속의 만두를 조금씩 잘라먹기 시작했다. 남자는 숟가락으로 만두를 마구 터뜨려 국물과 함께 떠먹으며 헉헉 뜨거운 김을 내뿜었고 동치미를 그릇째 들고 마셨다. 중간에 여자가 아기 같은 목소리로 여기요, 하더니 동치미를 더 달라고 했고 잠시 뒤에 또 직원을 불러 밥 한 공기만 주세요, 했다. 남자가 뭐라고 웅얼거리자 여자가 몸을 돌려 직원에게, 두 공기 주세요, 국물이 너무 맛있어서요, 하며 힐끗 소미 쪽을 보았다.

문이 열리고 늙은 남자가 들어와 소미 맞은편 테이블에 앉았다. 소미가 주문한 만둣국이 나왔다. 소미는 알이 굵은 만두를 앞접시에 덜어 꺼먹었다. 고개를 숙이고 먹는 내내 늙은 남자의 눈길이 느껴졌다. 드디어 늙은 남자의 만둣국도 나왔다. 남자는 먹으려다 말고 어이, 여기 밥 한 그릇, 하고 소리쳤다. 직원이 잠시 머뭇거리다가 주방에 들어갔다 나오더니 밥이 없는데요, 했다. 남자가 밥, 밥이 없다고, 하고 묻자 직원이 그렇다고, 밥이 다 떨어졌다고 했다. 남자는 밥이 다 떨어졌다고, 하고 직원의 말을 앵무새처럼 반문하더니, 아이고 이렇게 장사를 했다가는 말이지, 동네 장사를 이런 식으로 해가지고는 말이지, 하며 혀를 찼고 직원은 막 밥이 다 나가서, 하고 말을 흐렸다. 남자는 만둣국을 먹는 내내 내가 이 동네에서 얼마나 오래 살았는데 말이지, 하고 웅얼웅얼거리거나 에잇, 어어, 쿵 하는 소리를 냈다. 소미 옆자리의 젊은 남녀는 못 들은 척 국물에 만 밥을 먹고 있었지만 늙은 남자의 밥을 가로챈 기쁨인지 미안함인지 모를 어떤 감정을 은근히 공유하고 있는 듯 보였다. 소미는 만두를 먹으며 오후에 거래만 성사되면 다시는 이 동네에도, 이 식당에도 올 일이 없으리라고 생각했다.

잠시 뒤 젊은 여자가 직원에게 혹시 비닐봉지 좀 주실 수 있느냐고 물었고 직원이 비닐봉지를 가져다주자 남자에게 오빠, 두 개나 주셨어, 하고 앞접시에 덜어둔 만두 네 알을 비닐에 넣어 동여매고는 다른 비닐에 넣었다. 젊은 남자가 마지막으로 동치미 그릇을 들어 국물을 마시고 입을 오물오물하더니 자리에서 일어났다. 고개를 돌리자 늙은 남자도 그릇을 들어 만둣국 국물을 마시고 있었다.

이상하게 그날 본 것들은 소미의 기억 속에서 처음 현수와 식당에 갔던 날 본 것들과 자주 겹쳐졌다. 만두 네 알이 든 봉지를 들고 나가던 젊은 연인을 본 게 시간상 훨씬 이후인데도 마치 그들이 그날 만두를 먹고 결혼을 하고 아이를 낳아, 처음 현수와 식당에 갔던 날 본 젊은 부부가 되어 두 아이를 데리고 다시 만두를 먹으러 온 것만 같았다. 동치미 국물을 떠먹고 오오 소리를 내던 남자가 너는 넌 응 그래서 응 하며 짜증스럽게 말을 반복하는 남편이 되고, 숟가락 두 개로 조심스레 만두를 건져내던 여자가 말 한마디 없이 허리를 구부리고 바닥에 쏟아진 음식물을 맨손으로 쓸어 담는 아내가 된 것 같았다. 소미는 자기도 모르게 조금 진저리를 쳤다. 저 가여운 부부도 미쳐가는 중일 거라던 현수의 말이 떠올랐다.

그날 소미는 매매 계약서를 쓰지 못했다. 아니, 쓰지 않았다. 부동산에 가보니 중개사가 외지인이라고 소개했던 매입자가 식당에서 만둣국을 먹던 늙은 남자였다. 그 늙은이를 보는 순간 소미는 심한 공포에 사로잡혔다. U시의 사람들이 무서웠다. 현수도, 땅을 판 주인도, 소미의 집마당을 가로지르며 묘역 얘기를 한 늙은 여자도, 땅을 사겠다고 나온 늙은 남자도, 그를 외지인이라고 속인 중개사도 모두 미친 사기꾼들 같았다. 애초에 그 땅은 무구하지 않았다. 손을 탔고 때를 탔다. 아니, 아니, 소미는 고개를 저었다. 땅은 잘못이 없었다. 소미는 그 땅의 무구함을 믿었다. 소미는 덜덜 떨리는 목소리로, 땅을 팔지 않겠다고, 거두어들이겠다고 말했다. 서울로 돌아오는 내내, 그 돈 없어도 안 죽는다고, 죽지는 않는다고 생각했지만 마음 깊은 곳에서는…… 두렵고 또 두려웠다.

쑥뜸이 끝나고 네일관리사가 들어와 어떻게 해드릴까요, 물었다. 소미는 손톱에 영양 관리 외엔 아무것도 받지 않았다. 언젠가 네일관리사의 새로 온 조수 아가씨가, 어머 왜 아트를 안 받으세요, 아트 하세요, 하시면 너무 예쁘실 손이신데, 손톱도 갸름하시고 어쩌고 하며 호들갑을 떨어 소미가, 나 손톱에 장난치는 거 안 좋아해요, 했더니 아가씨의 얼굴이 급격히 굳어졌던 일이 있다. 좀 매몰차 보이더라도 말하기 좋아하고 반복해서 뭔가를 권하는 사람에겐 다시는 말을 붙이지 못하게 막아버리는 게 언제부턴가 소미의 방식이 되었다.

소미는 회원 전용 통로를 거쳐 사우나로 갔다. 가운을 벗고 가벼운 샤워를 한 뒤 칸막이로 나뉜 세신룸의 침대 위에 올라가 누웠다. 때를 다 밀고 나면 피부관리사가 들어와 소미에게 오늘 어떻게 해드릴지를 물을 것이다. 전신, 하면 전신 케어를 받을 수 있고 부분만 원하면 필요한 부분을 말하면 되었다. 소미는 늘 그렇듯이, 얼굴과 목, 손과 발만 집중 관리를 해달라고 할 것이다. 소미는 머리카락에도 장난치는 걸 좋아하지 않아서 생머리에 단발이었고 화장도 자외선 차단제가 함유된 비비크림만 옅게 바르는 정도였다. 헤어숍에서도 뷰티숍에서도 소미의 취향을 알아서 그걸 놓고 뭐라고 딴소리를 하는 사람은 없었다.

그렇게 어딜 가도 흠 잡힐 것 없는 산뜻한 상태로 준비를 마치면 소미는 삼층에 있는 한의원으로 올라가 침을 맞고 시간이 남으면

차도 한 잔 마실 것이다. 오늘 점심에는 근처 중식당 룸에서 해외 선교를 떠나는 목사님 환송 기도 모임이 있다. 오후엔 무얼 할지 아직 계획이 없다. 혼자 영화를 볼 수도 있고 쇼핑을 할 수도 있다.

남편은 U시에 갔을까. 갔다면 돌아와서 오후 시간을 어떻게 보낼까. 은퇴한 친구나 동료들을 만나 산행을 하거나 골프를 치겠지. 남편은 가끔 낚시터에도 가고 주말에는 경마장에도 가는 것 같았다. 소미는 남편의 일정에 대해 대충 알고 있는 것 이상을 알려고 하지 않았다. 남편도 마찬가지였다. U시의 땅을 알게 된 후로 남편은 소미를 달리 보았고 어느 정도 존중하는 태도를 취했지만 그뿐이었다. 그들 부부는 한집에 살면서 함께 잠들고 함께 일어났다. 그리고 오전 아홉시 반에 함께 쇼핑몰 후문에 도착하면 되었다. 이 기본적인 일상의 틀만 깨지지 않는다면 나머지 시간엔 각자 무얼 하든 용납되었다. 무얼 하든이라니, 소미는 헛웃음을 웃었다. 도대체 자신이 이제 와서 용납되지 않는 무얼 할 수 있단 말인가. 하룻밤의 섹스, 잠깐의 외도, 당분간의 밀애. 그 어떤 것도 자신은 하지 못할 것이다. 할 기력도 의지도 없었다.

오래전, 그러니까 십육 년 전쯤에 소미의 남편은 아내에게 뭔가 좀 잘못된 일이 벌어지고 있는 건 아닌가 의심한 적이 있었다. 아내에게 어떤 변화가 일어나고 있는 것 같았는데, 그렇다고 아내가 큰 사고를 치거나 일상의 틀을 교란한 것은 아니었기에 무어라 꼬집어 물어볼 수는 없었다. 매일 아침마다 챙겨 먹는 한약을 먹지 않아서 냉장고를 열어보면 한약이 첩첩 쌓여 있는가 하면, 저녁 늦게 집에 들어왔을 때 강박적일 정도로 결벽이 있는 아내가 옷은 커녕 양말도 벗지 않고 잠들어 있는 모습을 보기도 했다. 외도는 아닐 거라고 남편은 확신했다. 남녀 공히 외도하는 배우자는 필사적으로 그 어떤 티도 내지 않으려 조심하는 법인데 아내가 이렇게 대놓고 광고하듯 변화를 과시할 리가 없었다.

　한 달 이상 고민하며 지켜보던 남편은 지나가는 말로 슬쩍 요즘 누구 만나는 사람 있느냐고 물어보았다. 그 말에 소미는 갑자기 웃음을 터뜨리더니 요즘 매일 현수를 만나러 간다고 했다. 남편은 어리둥절하여 현수라니, 현수라면…… 하다 언젠가 한번 지금과 똑같은 일이 일어난 적이 있다는 것을 기억해냈다. 그때 자신이, 현수라면 남자, 하고 묻자 소미가, 아니, 여자, 하더니, 난 몰랐는데 현수라는 이름이 남자처럼도 들리는구나, 했던 것까지. 그래서 남편은 가까스로, 아, 현수라면…… 동기라고 했지, 하고 아무렇지 않게 대꾸했다. 그러나 눈치 빠른 소미는 내가 현수 만났다는 얘기 했을 텐데, 현수가 형편이 어려워서 시간을 낼 수 없으니까 내가 만나러 가야 한다고, 했다. 응, 들은 것도 같다, 하고 남편은 대화를 끝내려 했다. 여기까지만 얘기하고 마는 게 자신에게 유리하다는 걸 알았지만 그러나 남편은 끝내 궁금한 것을 묻지 않을 수 없었다. 현수, 그 친구를 만나러 어디로 가는데? 소미는 아무렇지 않게 U시라고 했다. 남편은 깜짝 놀랐고, 아니, U시를, 거기가 어딘데, 매일 어떻게 거길 간단 말이야, 당신은 운전도 못하잖아, 했다. 그러자 소미는 원망하듯이, 내가 운전을 왜 못해요, 차가 없어 그렇지, 하더니 기차를 타고 간다고 했다.

기차를 탄다고? 남편은 믿을 수 없어 거의 소리를 지르다시피 했다. 당신이 그 약해빠진 몸으로 혼자서 매일 U시까지 기차를 타고 간다고?

소미는 그렇다고, 혼자서, 매일, 기차 타고, 소풍 가듯이, 하더니 남편을 빤히 쳐다보았다. 남편은 속으로 소풍이라니 이 여자 참 철없는 소리 하고 있다고 생각하며 이맛살을 찌푸렸지만, 소미는 처음에 누구 만나는 사람 있느냐는 질문을 받았을 때처럼 갑자기 또 웃음을 터뜨렸다. 그러니까 소미는 현수인지 뭔지 하는 친구 이야기를 시작할 때도 웃고 끝낼 때도 웃은 것인데 남편으로서는 아내가 이렇게 잘 웃는 여자였던가 의아하지 않을 수 없었다. 현수와 웃음, 이 조합은 한동안 남편 뇌리에 납득하기 어려운 모양으로 깊이 박혀 있었는데, 땅의 존재를 안 뒤부터는 U시와 웃음, 이라는 새로운 조합으로 간단히 교체되었다. 이번에는 참으로 납득이 되는 조합이었다.

소미가 매일 U시에 현수를 만나러 가던 때, 현수가 소미에게 화장실에서 휴지를 얼마만큼 쓰느냐고 물은 적이 있었다.

뭐? 휴지?

이를테면 하루 평균 잡아서, 여자들이 하루에 얼마만큼 휴지를 쓰는 게 평균적일까?

그걸 어떻게 알아?

알 방도가 없을까, 도저히?

현수는 담배 연기를 내뿜더니, 내가 왜 이혼했냐면 아무래도 휴지 때문인 거 같아서, 했다. 어느 날 갑자기 남편이 현수에게 휴지를 너무 많이 쓰는 것 같다고 말했다는 것이다. 현수는 처음에는 그런가, 하다가, 아니 여자들은 원래 남자들보다 휴지를 많이 쓴다고 대꾸했다. 그러자 남편은 현수가 남자들보다 많이 쓰는 정도가 아니라 여자들 평균보다 더 많이 쓰는 것 같다고 말했고 현수는 절대 자신이 여자들 평균보다 많이 쓰지는 않는다고 주장했다. 그러자 남편은 기가 막힌 얼굴로 그걸 어떻게 증명할 수 있느냐고 물었다는 것이다.

이, 이게, 증명 이러니까, 내가 너무 어이가 없잖아, 하고 현수는 담배를 빨았다. 그래서 어떻게든 증명을 해보자 했지.

증명을 해보자고, 다른 여자들은 하루에 휴지를 얼마나 쓰는지 물어보자고, 현수가 친구에게 전화를 걸려고 하자 남편은 그만두라고, 다 관두자고, 자신은 현수의 주장의 진위, 그러니까 현수가 여자들 평균보다 휴지를 더 쓰는지 어떤지 하는 것보다 그 고집스런 확신, 현수 자신이 절대 여자들 평균보다 휴지를 많이 쓰지 않는다고 단언하는 그 방식이 지긋지긋했던 거였다고, 그러니 다른 여자가 하루에 휴지를 얼마나 쓰는지 그런 건 자기로서는 알고 싶지도 않고 알 필요도 없다고 말하고는 휙 자리를 떴다는 것이다. 그때 현수는 벼락을 맞은 것처럼 가슴이 쪼개질 것 같은 통증에 숨을 쉴 수가 없었다고 했다. 그후로도 몇 번 그런 유치한 다툼이 있었고 그렇게 몇 년을 더 살았지만 현수는 그때 그 휴지 논쟁이 이혼의 원인이었다는 생각이 자꾸 든다고 했다.

아무리 우리가 가난했어도 휴지를, 내가 또 뽑아 쓰는 비싼 휴지였으면 말도 안 해, 두루마리 그거를 못 쓸 정도로 그렇게 가난했던 건 아니거든, 하고 현수가 말한 순간 소미는 웃음을 터뜨렸다.

이게 웃기냐?

아, 웃겨. 죽을 만큼 웃겨 현수야.

뭐가?

그냥 휴지를…… 두루마리 휴지를…… 많이 쓴다는 게……

소미는 웃느라 말을 못했고 그걸 본 현수도 같이 웃음을 터뜨렸다. 그들은 담배를 든 채 미친 여자들처럼 몸을 비틀며 얼굴이 빨개지도록 웃었다.

소미는 가끔 현수와 함께 식당에서 만둣국을 먹고 돌아가는 길에 차를 세우고 담배를 피우던 그곳, 비와 햇빛을 가리려고 쳐놓은 청백 스트라이프 무늬 천막이 누렇게 바래고 테라스를 두른 철

제 난간에 붉게 녹이 슬어 있던 폐업한 카페를 생각했다. 그 어떤 시간보다 소미는 거기서 실개천을 바라보며 담배를 피우던 그 시간이 좋았다. 그때 우리는 젊었으며…… 두렵고 또 두려웠지. 현수가 무슨 생각으로 그런 말을 했는지 모르지만 가끔 그 말이 떨쳐지지 않는 주문처럼 소미의 머릿속을 맴돈다. 그때 우리는 젊었으며…… 현수가 말한 그때는 그때가 아니었지만, 자신들이 다시 만났던 그때가 그래도 자신들이 마지막으로 젊었던 시절이었다는 것을 이제 소미는 안다. 그래서 여전히 두렵고 또 두려웠다는 것을. 그래서 그렇게 많이 웃고 죽자고 담배를 피워대고 겁없이 땅을 사고 했다는 것을.

이제 그들 부부는 죽을 때까지 아무 두려움 없이 살 것이다. 하지만 소미는 가끔 가벼운 흥분 속에서 이런 생각을 할 때가 있다. 만약 현수가 찾아온다면? 그래서 약속한 대로 땅값의 반을 내겠다고 한다면? 그러니 자기에게 땅의 반을 내놓으라고 한다면? 그러면 자신은 선뜻 그렇게 할 것인가. 말도 안 되는 소리라고, 소미는 마음속으로 발끈했다. 그러려면 그때 너는 빈말로라도 손해의 반을 책임지겠다고 했어야 했어. 내 곁에서 나와 함께 두려움을 이겨냈어야 했어. 그런데 그러기는커녕 비열하게 도망쳤지. 전적으로 나한테 손해를 덮어씌워놓고, 나를 그렇게 오랫동안 불안과 고독 속에 남겨놓고 넌 잠적해버렸지. 그러니 그 땅의 모든 권리는 그걸 홀로 지켜낸 자신의 몫이라고, 소미는 침착하게 결론을 내렸다. 그렇고말고.

세월이 많이 흘렀고, 현수와 연락할 방법을 찾자면 없지는 않을 것이다. 하지만 군이 그럴 필요가 있을까. 현수가 그 땅의 현재 가치에 대해 알 필요가 있을까. 안다면 자기의 혜안이 맞았다고 기뻐하기만 하고 끝낼까. 사람은 절대 그렇게 무구하지 않다. 또 현수가 얼마나 거칠게 변했을지 누가 알겠는가. 그때 마흔다섯 살의 현수도 소미의 상상과는 너무도 달랐지 않은가. 흰 티셔츠에 청바지를 입고 인문대 깃발을 흔들며 행진하던 늘씬한 아가씨가 이혼하고 혼자 딸 둘을 키우는 뚱뚱한 중년 여자가 되어 피곤에 전 모습으로 부동산 사무실에 앉아 있지 않았던가.

소미의 벗은 몸 위에 따뜻한 물이 뿌려졌다. 세신사가 돌아누우라는 뜻으로 톡톡 치며 사모님 어쩌고 말을 시켰다. 물소리 때문에 알아듣지 못한 소미가 뭐라고요, 하고 묻자 세신사가 아니에요, 했다. 소미가 뭔데요, 하고 한번 더 묻자 세신사가 참 때가 없으시다고요, 했다.

이렇게 때가 없는 분은 처음 봐요.

소미는 아, 그래요, 하고 옆으로 돌아누웠다. 세신사는 칭찬으로 한 말이겠지만 때가 없는 게 좋은 건지 아닌지 소미는 알 수 없었다. 문득 세신사에게 당신은 하루에 두루마리 휴지를 얼마나 쓰느냐고 묻고 싶었다. 물론 소미는 묻지 않았다. 소미는 벌거벗은 채 세신용 침대에 모로 누워 웃음인지 눈물인지를 참느라 신생아처럼 눈을 꾹 감고 입을 앙다물었다. 소미는 외로웠고 앞으로 자신이 더 외로워질 것을 알았다. 그래서 절대 그럴 리는 없지만 언젠가 현수가 자기를 찾아오기를 기다리고 있는지도 몰랐다.

깜빡이

혜영은 차를 갓길에 붙이고 비상등을 켰다. 조용한 가운데 비상등의 규칙적인 점멸 소리를 듣고 있자니 또 깜빡이 켜졌다 하던 혜진의 말이 떠올랐다.

혜영은 며칠 전에 신숙의 전화를 받았다. 신숙은 아무리 코로나라도 그렇지 너희는 어째 엄마한테 연락 한 번 없느냐, 목요일에 신애와 점심을 먹기로 했으니 너희도 시간 맞춰 나오라고 했다. 혜영은 알았다고 하고 혜진에게 전화했다. 혜진은 싫다고 했다. 그럴 줄 알았으므로 혜영은 못 들은 양, 너 엄마 본 지 꽤 되지 않았느냐, 지난번에도 엄마하고 나하고 둘이서만 봤으니 이번에는 세 모녀 같이 만나자, 목요일 오전 열시 반까지 네 집 앞으로 데리러 가겠다고 말했다. 혜진은 말없이 듣기만 했다. 전화를 끊기 전에 아무래도 미리 얘기해야 할 것 같아 그날 신애도 올 거라고 알려주었다.

이모도 온다고?

낮에는 4인까지 모임이 가능하니까……

왜 그런 말을 이제 하느냐고, 이모가 온다면 자기는 더 가고 싶지 않다고 혜진이 말했다. 혜영은 다시 못 들은 양, 엄마 본 지도 한참 되지 않았느냐, 지난번에 엄마하고 나하고 볼 때도 이모가 나왔었다, 우리 세 모녀 만나 점심 먹는데 이모가 끼는 거라고 생각하라고 말했다. 물론 가볍다면 가벼운 점심 약속이었지만 레슨 일이 끊긴 후 일 년 가까이 자신 말고는 아무도 만나지 않고 사는 혜진으로서는 꺼릴 만도 하다고 혜영은 생각했다.

끈질긴 온화함, 그게 혜진을 대하는 혜영의 오래된 방법이었다. 목소리를 높이지 않고 말의 속도를 유지하고 표정을 흩뜨리지 않는 게 중요했다. 음성 통화여서 표정까지 신경쓸 필요는 없었지만 이미 세 가지가 세트로 굳어진 터라 혜영은 혜진과 통화하는 내내 밀랍 가면 같은 표정을 고수했다.

하지만 가끔 3종 세트에도 균열이 발생했다. 혜진이 무턱대고 들이받으려고 하거나 고집을 부려 대화 시간이 길어지면 혜영은 자기도 모르게 밀랍 가면 속에서 눈만 자주 깜빡거리는 버릇이 있었는데 그럴 때면 혜진은 놓치지 않고 또 깜빡이 켜졌다, 했다. 그런 말을…… 아무렇지 않게…… 혜영은 가슴속에 서서히 번지는 미지근한 불쾌감을 억눌렀다.

백미러를 통해 골목에서 나오는 혜진이 보였다. 고개를 숙이고 주머니에 손을 찌른 채 무겁게 걸어오는 혜진을 보자 밑도 끝도 없는 연민이 밀려왔다. 가끔 그럴 때가 있었다. 가까이서 보면 대책 없다 싶은 동생이, 화면 속 인물처럼 멀리서 다가오면…… 정처 없다…… 쟤는 왜 가엾게…… 어디 딱 붙은 데가 없이…… 마음도 육신도…… 그런데 육신이란 말은…… 어쩐지 욕 같은 느낌이 든다…… 그런 생각을 하는데 혜진이 앞문을 열고 탔다.

어서 와.

혜진은 말없이 안전띠를 맸다.

출발할까?

이번에도 말이 없었다.

일어나느라 힘들었지?

혜진은 들릴 듯 말 듯 으응, 하더니 그런 반응을 보인 게 후회되는지 흠칫 몸을 떨고는 차창 쪽으로 고개를 돌렸다.

혜영은 한동안 앞만 보고 운전했다. 차 안에는 내비게이션의 안내 음성만 울렸다. 요즘 들어 혜진이 급격히 사회성이 떨어진다고 느꼈지만 혜영은 절대 그런 말을 입 밖에 내지 않을 것이다. 자신만이 혜진과 세상을 이어줄 유일한 밧줄인 걸 아니까. 그런데도 쉽사리 마음이 가라앉지 않고 육신…… 육신…… 그 말이 자꾸 입안을 맴돌았고, 니 육신…… 내 육신…… 하면 왜 더 심한 욕 같은가…… 그런 생각만 들었다.

재택근무를 하게 되면서부터 혜영은 차를 몰 일이 거의 없었다. 그래서 어제 오후에 미리 차에 시동을 켜고 내비게이션을 작동해 삼십 분간 모의 주행을 했다. 그리고 혜진은 자기만 늦게 일어나는 줄 알지만 혜영 또한 재택을 하면서 오전에 일어나는 일이 드물었다. 그래서 오늘 못 일어날까봐 사흘 전부터 규칙적으로 수면제를 복용해왔다. 잠드는 데는 약간 효과가 있었지만 깨는 데는 전혀 효과가 없었다. 오늘 아침 여덟시 반에 일어날 때는 죽고 싶을 만큼 힘이 들었다. 약속이고 뭐고 다 때려치우고 잠이나 푹 자고 싶다는 충동이 솟구쳤으나 혜영은 결국 일어났다. 혜진도 그랬을 것이다. 그래서 지금 함께 신숙을 만나러 가고 있으니…… 그러면 되었다 싶었다.

시내로 향하는 도로는 막히지 않고 흐름이 순조로웠다. 너무 일찍 도착하면 혜진이 또 불같이 화를 낼 것 같아 혜영은 가급적 천천히 달렸다.

안국역 주차장에 도착했을 때는 열한시 반밖에 되지 않았다. 약속 시간인 열두시까지는 무려 삼십 분이나 남아 있었다. 혜영이 주차장에 차를 세우고 너무 일찍 왔네, 하자 예상과 달리 혜진이 밝은 목소리로 말했다.

그럼 일단 한 대씩 피울까?

너 가져왔어?

응. 언니는?

나도 가져왔지.

자매는 각자 가방에서 전자 담배 홀더를 꺼내 담배를 꽂았다. 혜영은 차량용 공기청정기를 틀고 뒷자리 차창을 조금 열었다. 한 모금 들이마시니 기분이 좋아졌다. 아마 혜진도 일어나자마자 담배 한 모금 피울 여유도 없이 뛰쳐나오느라 내내 그렇게 뾰족했던 건지도 몰랐다. 그러자 이해가 되었다. 두번째 모금을 빨아들이고 내뱉는데 휴대전화 벨이 울렸고 화면에 '엄마'라고 떴다. 혜영이 스피커폰을 켜자 신숙의 날카로운 목소리가 차 안에 쩡 울렸다.

영아! 니들 왜 안 와?

네? 아직 삼십 분이나 남았는데…… 벌써 오셨어요?

벌써 오다 뿐이니? 엄마가 니들 차 들어가는 거 봤는데 니들은 눈 뒀다 뭐하고.

네? 우릴 봤다고요?

차 들어간 지가 언젠데 여태 안 나오고 있어? 엄마 지금 주차장 앞에서 기다리고 섰는데.

지금 막…… 이제 나가려고요.

아이, 엄마가 속상해서 못살겠다.

왜요?

신애 얘가 이렇게 내 속을 썩인다.

네? 이모가 왜요?

말하기 귀찮으니 얼른 나오기나 해. 전화 끊는다.

통화가 끊기자 혜진이 얼른 한 모금을 더 피우고 홀더에서 담배를 뽑았다. 혜영도 얼른 한 모금을 더 피우고 뽑았다.

못 말린다, 우리 엄마.

혜영의 말에 혜진이 입가를 올리며 미소 비슷한 것을 지었다. 혜영은 그게 절대 미소가 아니라는 걸 알았다.

엄마 진짜 귀신같지 않냐?

혜진이 말했고 혜영은 말없이 다음 말을 기다렸다.

진짜 귀신같은 게, 내가 언제 약간 행복해지고 내가 언제 약간 기분좋아지는지를 딱 노리고 있다가, 딱 재 뿌리는 시점을 엄마는 귀신같이 아는 것 같아.

엄마가 무슨…… 뭘 그렇게 노리고 뿌리고…… 그러다 혜영은 쿡 웃었다. 그럴 만큼 남의 일에 부지런한 분 아니야.

그러니까 귀신같다는 거지. 의도가 없는데도 딱 그렇게 하니까.

근데 이모는 오셨다는 건지 뭔지.

거봐! 이모가 왔다 어쨌다 말이 없잖아? 그냥 이모가 또 자기 속을 썩였대. 세상에 전부 자기 속 썩이는 사람들 천지야. 우리가 삼십 분이나 일찍 와도 소용이 없어. 자기 못 본 게 대역죄야. 엄마는 귀신처럼 내가 약간이라도, 효도까지는 아니야 언니, 효도까

지는 절대 아니고, 그 뭐야 그냥 불효라도 좀 덜 해보려고 하는 순
간에 그 기회를 딱 빼앗는다. 운명이란 게 있다면 나한테도 엄마
한테도, 아주 평생 이렇게 한없이 불우하고 찌질한 모양일 거라
고!

혜진의 속사포 같은 날 선 말을 듣고 있자니 혜영은 이상하게
불안하면서도 위로가 됐다. 그래서 코뚜레를 꿰듯 해서라도 얘를
데려왔나…… 나 대신 들이받으라고.

신숙이 안국역에 도착해 신애에게 전화를 걸었을 때가 열한시
십오분쯤 되었다고 했다. 약속 시간까지 사십오 분이나 남았으니
어떡하나, 신애 얘는 어디쯤 오고 있나 싶어 전화를 했더니 신애
는 벌써 도착해서 인사동을 둘러보고 있다고 했다. 혼자 기다리지
않아도 된다는 반가움에, 나도 일찍 왔지만 넌 어쩜 더 그리 일찍
왔느냐고 하니, 윤서방이 따라나설까봐 자고 있을 때 나오느라 일
찍 나왔다고, 언니 내가 그리로 갈까 아니면 만나기로 한 식당에
서 만날까, 해서 신숙이 그 식당은 열두시에 예약해놨으니까 이리
오라고, 영이가 차 가지고 온다고 했으니 다 같이 만나서 가자고
하니, 신애가 알았다고, 얼른 그리로 가겠다고 하고 전화를 끊었
다는 것이다.

제부가 안 온다니 신숙은 한시름 마음이 놓였다. 윤서방 앞에서
대놓고 말은 못해도 매번 신애를 만날 때마다 이번에도 얘가 윤서

방을 달고 나오면 어쩌나, 그러니까 윤서방이 신애를 따라나서는 버릇이 든 지가 얼마나 되었나 모르겠는데, 일이 년은 훨씬 넘고, 삼사 년도 더 된 것 같은데, 아무튼 옛날 같으면 어림도 없는 일이었다고 했다. 젊을 적에 너희 이모부란 인사는 제 친족 일에도 직계 일 아니면 꿈쩍을 안 하고 마냥 친구만 좋아라 하고 그렇게 밖으로만 나돌던 인사였느니라. 처가 쪽 일에는 더군다나 얼굴 비치는 일이 없고 어쩌다 죽지 못해 와도 자리에 앉지를 않고 뻣뻣하게 서서 어정버정하다 홀쩍 가버리고, 그러다 쉰 중반 넘으면서부터는 드문드문 어디 가보면 와 있고 어디 가보면 와 있고 하더니, 신애랑 둘이 만나는 자리에도 떡하니 따라나오더라는 것이다.

이때 신숙이 갑자기 입가를 한껏 올리며 아유, 윤서방, 하는 바람에 혜영은 깜짝 놀라 혹시 길 건너편에 이모가 기어이 떨구고 왔다던 이모부가 나타났나 했더니 그건 아니었다. 아유, 윤서방이 이런 자리에 다 나오고 해가 서쪽에서 뜨겠네, 하면 그러게요, 처형 얼굴 잊어버릴까봐 왔습니다. 하면서 천연덕스럽게 느물거리더라며 신숙은 이야기를 이어나갔다.

그때만 해도 괜찮았지, 밥만 먹고 나면 갔거든, 그러면 신애랑 둘이 찻집에서 이런저런 얘기도 하고 그랬는데 언제부턴가 밥을 다 먹고도 가지를 않고 찻집까지 따라붙더니, 환갑 넘으면서부터는 친구들도 자꾸 죽었다든가 죽어간다든가 그래 그런지, 근데 너희 이모부가 환갑이 언제였냐, 그때 환갑 기념으로 대만 여행 간다고 했던 게 삼사 년 전이었냐 영아, 아마 그렇지 싶은데 그때부터는 확실히 열에 아홉은 너희 이모가 나갈 기색만 보여도 부둥부둥 따라나선다더라. 신숙이 궁여지책으로 신애와 비밀 작전을 짜듯 몰래 약속을 잡아 둘만 만나기로 하고 약속 장소에 가보면 제부가 앞서 나와 한 손을 번쩍 들어올리며, 아이고 처형, 건강하시죠, 하며 인사를 하는 통에 놀라 질겁한 적이 한두 번이 아니었다고 했다. 아유, 윤서방도 나오셨네, 하면 실 가는 데 바늘 가야 한다느니, 늙으니 어딜 가도 부부 동반이 좋다느니 듣기 싫은 소리를 해댔다고, 원, 세상에, 엄마 같은 과부는 어디 서러워 살겠니, 세상 어느 부부가 평생 해로한다고, 엄마가 역심이 나니 안 나니, 그래 몇 번이나 신애한테 왜 자꾸 니 서방은 달고 나오느냐고, 또 한 번만 그래보라고 눈물이 쏙 빠지게 야단을 쳤는데도, 따라나서는 걸 그럼 어떡하느냐면서 신애 이 바보가 잔뜩 울상만 짓는다고 신숙은 말했다.

혜영과 혜진은 안국역 앞에서 신숙의 얘기를 들으며 이십 분 넘게 서 있었다.

게다가 영아, 오늘은 신애랑 둘이 보는 것도 아니고 너희들하고도 같이 만나기로 한 날인데, 하며 신숙은, 신애와 둘이 만날 때 제부가 끼는 것도 마땅찮지만 오늘같이 오랜만에 세 모녀 만나는데 그 인사가 끼어서 헛소리를 하고 꽹내 나는 고깃집에나 가자고 바람을 잡고 낮술을 마시고 주정을 하는 게 참 몸서리치게 싫다고 했다. 그 생각을 하니 신애가 윤서방이 따라나서지 못하도록 일찍 나온 게 더 기특해서 좋은 마음으로 기다리고 있었는데, 오 분이 넘고 십 분이 넘도록 오지를 않았다고 했다. 어디 인사동 깊은 길로 들어갔나 싶어 다시 전화를 해보니 신애가 우는소리로 언니, 여기가 어딘지를 모르겠네, 내가 길을 놓쳤는가봐, 했다는 것이다. 뭐라고? 아니 애 신애야, 네가 제정신이니, 우리가 여기서 얼마나 자주 만났는데 무슨 길을 놓쳐, 하자 신애는 그러게, 그러게, 하더니 언니, 내가 지나가는 사람 아무나 붙잡고라도 길을 물어봐서 그리로 갈 테니 거기 있어 언니, 하고는 전화를 끊었는데, 엄마가 어이가 없어서 얘가 왜 이러나, 그동안 길을 잘 찾아온 건 윤서방이 있어서 그랬나 싶기도 하고, 너희 이모가 엄마보다 네 살이나 어린데 벌써 치매가 오나 싶어 가슴이 벌렁거리기도 하고, 그렇게 끌탕을 하며 서 있는데 마침 영이 니 차가 이리로 들어오는 거야, 옆에 진이도 떡하니 타고 앉았길래 엄마가 손을 들고 여기, 진아, 엄마, 여기, 소리를 질러도 차가 설 기척도 없이 주차장으로 쌩하니 들어가버리니 엄마가 부아가 나니 안 나니, 아이, 근데 얘는 왜 아직도 안 와, 옛날부터 사람 속을 더럽게도 썩이더니 늙어서도 이러네, 라고 신숙은 말했다.

열두시가 되도록 신애가 오지 않고 전화도 받지 않자 신숙은 모르겠다며 그만 식당으로 가자고 했다. 예약 시간이 다 돼서 어쩔 수 없네요, 하고 혜영도 동의했다. 신숙이 혜영의 팔짱을 끼고 앞서 걸었고 혜진은 그 뒤를 따랐다.

중식당 원형 테이블에는 4인용 식기가 세팅되어 있었다. 신숙이 메뉴판을 대충 보는 시늉만 하더니 여기는 볼 것도 없이 양장피와 쟁반짜장과 짬뽕을 잘하니 그거 시켜서 셋이 나눠 먹으면 된다고 했다. 혜영이 혜진을 보며 그렇게 시킬까 묻자 혜진이 고개를 까딱했다. 직원이 와서 주문을 받으며 짬뽕은 매운 맛과 순한 맛이 있는데 뭘로 시키실 거냐고 물었다.

매운 거요!

혜진이 냉큼 말하자 신숙이 대번에 아니, 안 된다, 하고 손을 저었다.

신애 걔가 여기만 오면 번번이 매운 짬뽕을 시켜 먹어서 엄마는 맛도 못 봤잖니. 저는 내가 시킨 간짜장을 다 갖다 먹으면서 나는 짬뽕이 매워 한입을 못 먹었다. 여기 짬뽕이 그렇게 시원하다는데.

여기 짬뽕이 그렇게 시원하고 맵대?

혜진이 기대에 차서 묻자 신숙이 고개를 저었다.

아니, 그닥 안 맵대.

매워서 못 먹었다며?

아니, 그게 진이 니가 좋아하는 식으로다가 그렇게 무섭게 매운 게 아니고, 엄마처럼 매운 거 못 먹는 사람한테나 매운 거야. 니가 생각하는 그런 매운 맛이 아니라니까.

기다리다못한 직원이 그럼 순한 맛으로 드려요, 묻자, 혜영이 그러지 말라는 눈짓을 하는데도 혜진은 본 척도 하지 않고 난 그래도 매운 거 먹을래, 나머지 시킨 건 두 분이 드시면 되잖아요, 했다. 혜영이 그럼 매운 맛과 순한 맛 둘 다 시키자고 하자 신숙이 또 아니, 안 된다, 하고 손을 저었다.

뭘 짬뽕을 두 개씩이나 시키니? 그럴 바엔 짬뽕은 쟤 혼자 먹든 말든 매운 걸로 시켜주고 여기 만두 잘한다니 그거나 한 접시 더 시키자.

양장피와 쟁반짜장, 매운 짬뽕과 만두가 나왔다. 혜영이 신숙의 앞접시에 양장피와 쟁반짜장을 덜어주고 혜진에게도 덜어주려는데 혜진이 됐다고 했다. 먹는 내내 신숙이 혜진에게 그렇게 매운 것만 퍼먹지 말고 양장피도 먹어봐라, 짜장도 먹어봐라 했지만 혜진은 말없이 짬뽕만 먹었다. 혜영은 신숙이 시키는 대로 이것저것 다 먹어보고 맛이 괜찮다고 했다. 식사가 끝날 무렵 혜영이 혜진에게 하나 남은 만두라도 맛보라고 했지만 혜진이 끝내 먹지 않자 신숙이 쯧쯧 혀를 찼다.

저거, 저거, 참 어려서부터 악지도 악지도 그런 악지가 없더니만. 안 먹으면 저만 손해지. 영아, 너하고 나하고 반 갈라 먹자. 여기 만두도 잘하네, 그렇지?

그러네요, 혜영이 말했다.

혜진은 가만히 고개를 숙이고 있다 벌떡 일어나 나가버렸다.

재, 재, 어디 가니?

화장실 가나봐요.

후식 과일을 먹는 내내 혜진은 돌아오지 않았다. 신숙이 그만 나가자고 해서 혜영도 자리에서 일어났다. 카운터에서 계산을 하는데 신숙이 계산대 위쪽에 붙은 메뉴판을 골똘히 올려보다 여기 생만두가 포장이 되나보다, 했다. 혜영이 그럼 포장하라고 하자 신숙이 그럴까, 1인분만 포장해갈까, 했다. 언제 왔는지 뒤에 서 있던 혜진이 날카롭게 외쳤다.

벌써 가? 이모 안 기다려?

순간 혜영은 어리둥절해졌다. 먹는 내내 신애를 까맣게 잊고 있었다. 그때 신숙의 전화벨이 울렸고, 혜영은 신숙의 휴대전화로, 언니, 나 더는 못 걷겠어, 하며 울먹이는 신애의 목소리가 흘러나오는 걸 들었다.

어딘데? 어딘데 더 못 걸어? 우리 밥 다 먹고 나오도록 넌 어째 못 오고 있어? 언니가 니 만두도 하나 여기서 포장해갈까 하는데. 근데 어디라고? 어딘지를 왜 몰라? 떡집 앞이라고? 떡집 앞이라고만 하면 어떡해? 거기가 어디라고 우리가 너를 찾아가니? 아유, 넌 왜 이렇게 번번이 언니 속을 뒤집어놓니? 우리 영이는 길을 잘 몰라서 거기 찾아갈 줄도 몰라. 이게 무슨 일이니? 세상에, 너 벌써 치매 왔니? 니 나이가 몇인데 벌써 치매가 와? 얘, 그럼 신애야, 윤서방 있잖아? 윤서방한테 전화해라. 길 잘 찾는 윤서방한테 전화해서 물어봐야지 별수없다. 윤서방한테 전화해, 응? 그렇지, 윤서방이 있지. 그래, 너한텐 윤서방이 있잖아. 언니랑은 이만 전화 끊고 바로 윤서방한테 전화해서 데리러 오라고 해, 알았지?

혜영은 신숙을 집에 데려다주는 길에 북악스카이웨이를 경유해 드라이브를 시켜줄 예정이었다. 신숙은 좋아라 했지만 혜진은 우려했다.

길 알아?

내비가…… 있으니까.

삼청동 길을 지나 구불구불 올라가다 혜영은 잠시 딴생각을 했다. 길을 잃은 신애 생각을 했던 것도 같고 어린 시절 생각을 했던 것도 같다. 무심코 왼쪽으로 핸들을 트는데 혜진이 다급하게, 언니, 오른쪽, 오른쪽, 하는 바람에 놀라 오른쪽으로 틀다가, 언니, 차, 차, 하는 말에 급브레이크를 밟았다. 오른쪽 차선에서 오던 차가 스칠 듯 지나가며 요란하게 클랙슨을 울렸다. 그 차를 보내고 우회전하는데 길의 경사가 짧고 가팔라 혜영은 가속을 밟았고 차가 요동쳤다. 그 바람에 차 유리에 고정해놓은 착탈식 내비게이션이 떨어지며 요란한 소리를 냈다.

아닌 것 같은데…… 이쪽이……

이쪽 맞아.

떨어진 내비게이션 장비를 부여잡은 혜진이 지그시 이를 악문

소리로 말했다. 언덕길을 올라가서야 혜영은 그 길이, 그 방향이 맞는다는 걸 알았고 자신이 왜 왼쪽으로 가려 했는지 이해할 수 없었다. 안전벨트에 묶인 채 두 손으로 내비를 받치고 있는 혜진의 얼굴이 잔뜩 일그러져 있었다.

괴롭다 진짜. 내가 이래서 언니 차를 안 타는데.

혜영은 차를 갓길에 세우고 비상등을 켰다. 혜진에게 내비게이션을 받아 차 유리에 고정하고 새로 작동시켰다. 뭐가 잘못되었는지 먹통이었다. 혜영은 이마를 짚고 기다렸다. 비상등의 규칙적인 점멸 소리를 듣고 있자니 눈꺼풀이 바르르 떨리고 미지근한 불쾌감이 솟구쳤다. 혜영은 잠시 차에서 내렸다. 니 육신…… 내 육신…… 내 속을 더럽게…… 악지도…… 그런 악지가…… 그런 말을 조용히 떠올리며 천천히 눈을 깜빡였다. 여러 번 심호흡을 하고 표정을 밀랍 가면처럼 만들었다. 다시 차에 탄 혜영은 내비게이션의 연결선을 뽑았다 다시 꽂고 작동 버튼을 눌렀다. 조수석의 혜진은 보란듯이 몸을 틀어 차창에 얼굴을 바짝 대고 콧소리로 이상한 멜로디를 흥얼거리고 있었다. 뒷자리의 신숙은 아이, 괜히 이리로 왔네, 밥 다 먹었으면 국으로 집에나 갔으면 좋을걸 엄마 빨자에 느라이브는 누슨, 하는데 휴대전화 벨이 울렸다.

아유, 윤서방, 어떻게 됐어요? 신애 찾았어요? 오, 찾았어? 윤서방이 워낙 길을 잘 아니까 찾을 줄이야 알았지마는 대체 그 바보는 어디 가 있었대요, 응? 인사동이 아니라고? 아유, 그게 웬일이에요? 아이고, 거기가 어디야? 아니, 어째…… 울어? 신애가 운다고요? 으응, 응, 다행이네. 윤서방, 신애 걔가 잠시 잠깐 놀라서 그런 거지 별일 아닐 거예요. 예전부터 걔가 좀 깜빡깜빡은 했어요. 놀라고 당황해서 잠시 잠깐 그런 거니까 걱정하지 말고. 윤서방, 수고했어요. 운전 조심하고요, 네, 네, 들어가요, 그럼…… 내가 나중에 신애하고 통화할게요. 네, 네에……

신숙이 전화를 끊자 혜진이 물었다.

이모부가 뭐래?

너희 이모 찾았단다. 지가 어디 있는지도 모르고 있더란다.

어머, 어떡해? 그래서 어디에 있더래?

뭐 신사동? 신성동? 뭐 그런 동네 떡집 앞에 앉아 있더래.

신사동은 절대 아니고 신설동이겠네, 혜영이 말했다.

맞다, 영아. 신설동! 신설동이라더라. 거기가 대체 어디니?

거기가 아마…… 혜영이 대답하려는데 혜진이 끼어들었다.

이모가 계속 울고 있대?

아니, 계속 우는 건 아니고 윤서방을 보더니 막 울더란다. 차 타고 지금은 잔단다.

이모 어떡하냐, 혜진이 중얼거렸다.

아이, 그놈의 당뇨가 세상 더러운 병이라더니. 신숙이 쯧쯧 혀를 찼다. 신애 걔가 당뇨잖니. 당뇨 걸리면 치매도 그렇게 빨리 온다더라.

그런 무서운 소리 하지 마. 아직 이모가 치맨지 아닌지 모르잖아?

요즘은 젊은 애들도 그렇게 당뇨에 많이 걸린다더라. 신애 걔는 어려서도 몸이 약했는데……

드디어 내비게이션이 작동했고 혜영은 차를 출발시켰다. 혜진은 틀었던 몸을 바로 하고 멍하니 앞만 보았고 신숙은 찌푸린 얼굴로 창밖에 눈을 두었다. 구불구불한 북악스카이웨이를 지나는 동안 차 안에는 내비게이션의 안내 음성만 울렸다.

혜영이 신숙의 아파트 현관 앞에 차를 세우고 돌아보자 신숙은 졸다 깬 얼굴이었다.

엄마, 주무셨어요?

자긴 누가 잤다고 그러니?

다 왔어요.

그래, 다 왔네.

신숙이 안전벨트를 풀고 가방과 만두 봉지를 챙겨 내리려다 멈추었다.

엄마, 왜요?

운전하느라 우리 영이 고생 많았다.

네? 고생……은요.

엄마 맛있는 것도 사주고 드라이브도 시켜주고 오늘 고마웠다.

우리 진이도 같이 나와줘서 고마웠고.

혜진이 아무 말도 하지 않자 대신 혜영이, 고맙긴 무슨, 했다.

그래, 조심히들 가거라.

신숙이 차에서 내려 손을 흔들고 아파트 현관을 향해 걸어갔다. 혜영은 신숙이 현관문 안으로 들어갈 때까지 지켜보았다. 함께 지켜보던 혜진이 말했다.

왜 나 대신 언니가 인사를 받고 그래?

응? 아, 미안.

언니야, 앞으로 미안할 짓 좀 하지 마라.

혜영은 또 미지근하게 올라오려는 불쾌감을 눌렀다. 혜진이 안가, 물었고 혜영은 차를 출발시켰다.

근데, 혜진이 말했다. 엄마 왜 저래?

그러게…… 엄마도 늙으시나보네.

엄마도 치매 오는 거 아냐?

넌 애가…… 그런 무서운 말 하지 말라며?

너무 이상하니까. 우리더러 고맙대잖아? 이모 때문에 잔뜩 겁나셨나?

엄마 귀신같다며? 니가 불효하려는 거 딱 눈치채고…… 그 기회를 뺏으려나보지.

그런가, 하더니 혜진이 물었다. 언니도 엄마처럼 할 거지?

뭐를?

나 치매 걸리면 말야.

혜진의 느닷없는 말에 혜영은 순간적으로 머리가 하얘졌다.

설마……

어차피 길도 모르고 나 못 찾아올 거잖아. 속도 더럽게 썩이던 동생인데 뭐.

그건……

혜영은 밀랍 가면 같은 표정을 유지하려 애썼지만 눈이 자꾸 깜빡거릴까봐 신경이 쓰였다. 얘는 정말…… 자기 생각밖에 안 한다…… 자기 치매 생각밖에…… 니 치매…… 내 치매……

그래도 난…… 잠시 후에 혜영이 입을 열었다. 너 찾아갈 거야.

그래? 혜영의 표정을 유심히 살피던 혜진이 말했다. 의외네.

우리 둘 다…… 윤서방도 없잖아.

그건 그렇지. 그런 의미에서 담배나 한 대 피울까?

좋아.

혜진이 혜영의 홀더에 담배를 꽂아 건네주었다. 혜영이 공기청정기를 틀고 뒷자리 차창을 조금 열었다. 혜진이 자신의 홀더에 담배를 꽂으며 물었다.

이번엔 북악스카이웨이로 안 갈 거지?

안 가.

엄마 전화 올 일도 없고?

없지.

둘은 짧게 웃었다. 사거리에서 혜영은 내비게이션의 안내에 따라 좌회전 차선에 접어들며 왼쪽 방향지시등을 켰다. 신호가 바뀌길 기다리는 동안 자매는 규칙적인 점멸 소리를 들으며 조용히 담배를 피웠다. 누구에게도 방해받지 않는 그 시간이 그날 하루 중 가장 좋았다.

어머니는 잠 못 이루고

오익은 잠이 오지 않는 밤이면 집에서 가까운 이십사 시간 카페에 자주 갔다. 얼마 전부터 그곳이 영업시간을 단축해 새벽 두시까지만 하는 걸로 바뀌었다. 그래서 그는 자정 무렵에 가서 커피를 마시며 한 시간 반쯤 앉아 있다 돌아오곤 했다.

오익은 커피를 사서 늘 앉던 자리에 앉아 노트북을 열었다. 검토해야 할 자료 목록이 펼쳐졌다. 오익은 고개를 돌려 유리 밖을 내다보았다. 건너편 술집 앞에서 백발의 남자와 젊은 남자 둘이 담배를 피우고 있었다. 그 옆의 횟집은 영업이 끝났는데도 불이 켜진 전자 입간판이 요란하게 번쩍거렸다. 긴 머리의 여자가 고개를 숙이고 휴대전화를 들여다보며 지나갔다. 포장을 걷은 포장마차가 동남아의 작은 수상 가옥처럼 미끄러지듯 도로를 지나갔다.

검은 마스크를 쓴 남자가 귀에 휴대전화를 붙이고 지나갔다. 격하게 통화를 하는지 마스크 입 부분이 꿈틀거렸다. 몸집보다 큰 가방을 멘 늙은 여자가 절름거리며 지나갔다. 관절의 통증이 보이는 걸음이었다. 밤거리엔 아직 사람들이 오고가지만 곧 모두 어디론가 돌아가 잠들 것이다.

익아, 너 원채가 뭔지 아니?

어머니가 물었다. 어떤 말은, 특정 음식이 인체에 계속 알레르기 반응을 일으키듯, 정신에 그렇게 반복적인 부작용을 일으킨다고 오익은 생각했다. 말의 독성은 음식보다 훨씬 치명적이었다. 알레르기 반응을 일으킨 음식은 기피할 의지만 있다면 그럴 수 있지만, 부정적인 반응을 일으킨 말은 아무리 기피하려 해도 그럴 수 없기 때문이다. 아니, 기피하려는 의지가 강하면 강할수록 점점 더 그 말에 사로잡혀 꼼짝달싹도 할 수 없게 된다. 원채는 다 갚기 전에는 절대 안 없어진다고, 죽어도 안 끝나고 죽고 또 죽어서도 갚아야 하는 빚이 원채라고 어머니는 말했다. 오익은 그게 바로 사는 일 같다고 생각했다. 기피 의지와 기피 불가능성이 정비례하는, 그런 원채 같은 무서운 말과 일들이 원채처럼 쌓여가는.

오익은 잠시 귀를 기울였다. 희미하지만 또렷한 어떤 소리가 들려온 듯도 하고 아닌 듯도 했다.

사태의 시작은 새소리가 요란하던 일요일 아침이었던 걸로 오익은 기억한다. 전화를 걸어온 어머니가 도통 잠을 잘 수가 없다고 했고 오익은 대수롭지 않게 여겼다. 이제껏 어머니로부터 잠을 잘 잤다는 말을 들어본 적이 없었다. 오익은 어렸을 때부터, 그러니까 그때쯤엔 어머니가 젊고 팔팔했을 텐데도, 아침이면 어젯밤에 한숨도 못 잤다든가 잠깐 눈 붙였다 뗀 뒤로 날밤을 새웠다든가 밤새 자는 둥 마는 둥 했다든가 하는 말을 듣고 자랐다.

그날 이후로 어머니는 불쑥불쑥 전화를 걸어와 요즘 오숙이 자꾸 전화를 해서 이상한 말을 한다고, 그래서 더 잠을 잘 수가 없다고 불평을 했다. 시집 식구들 욕을 하다가 정서방 사업이 잘된다고 기세등등하다가 갑자기 인간들이 다 꼴 보기 싫다고 울기도 하는 등 당최 종잡을 수 없는 소리를 한다고 했다.

우울증인가?

우울증? 우울증에 걸리면 그러니? 정서방이 그렇게 돈을 잘 번다는데 집에서 포실하게 살림하는 애가 왜 우울증에 걸리니?

그건 오익도 알 수 없었다.

이게 벌써 몇 날 며칠째인지 모른다. 내가 언제까지 이러고 살아야 하니?

신경쓰지 마세요.

어머니가 얕고 긴 한숨을 쉬는 소리가 들려왔다. 신경을 안 쓴다고 안 써지느냐, 남보다 예민한 이 신경이, 자식이 돼서 모르는 소리도 참, 그런 속말을 애써 삼키고 있는 게 틀림없었다. 오익의 생각에는 오숙이 사소한 일로 어머니에게 마음이 상했는데 어머니가 그걸 모른 체하거나 자신에게 털어놓지 않는 것 같았다. 모녀간의 갈등에 오익이 개입할 여지는 별로 없었지만, 안 그래도 불면을 자랑삼는 어머니로서는 잠을 못 잘 충분한 이유를 얻었으니 한동안 오익만 시달릴 판이었다.

숙이 마음이 가라앉길 기다려야지 어머니가 어떻게 해줄 수 있는 문제가 아니잖아요.

그거 기다리다 난 그만 죽을 것 같다.

그런 말씀 마세요. 숙이도 그러다 말 거예요. 착한 애잖아요.

그렇지? 숙이는 착한 애지?

그럼요.

요샌 전화벨만 울려도 내가 가슴이 벌렁벌렁해.

그럼 당분간 전화를 꺼놓거나 숙이 전화는 아예 받지를 마세요.

아이고, 전활 안 받았다가 내가 그 뒷감당을 어떻게 하라고. 카톡으로 문자로 난리도 그런 난리가 없다. 내가 받을 때까지 숙이 그게 얼마나 해대는지 아니?

오늘도 전화 왔어요?

오늘도가 뭐니? 익이 넌 내 말을 어디로 듣는 거니? 오늘만 전화를 세 번 했어. 처음에 전화해서는 한 시간 넘게 뭐라 뭐라 떠들고 소리지르고 하길래 겨우 달래서 끊고 나니까 오 분도 안 돼서 또 전화해가지고는 울고불고하다 지가 먼저 똑 끊어버리더니 저녁때 전화를 해서는 여태껏 분풀이를 해대는 거야. 내가 귀가 다 울리고 정신이 하나도 없다.

그런 상태라면서 어머니가 왜 자신에게까지 전화를 걸어 통화의 고통을 연장하는지 오익은 이해할 수 없었다.

세상에, 오늘은 내가 무슨 그렇게 차별을 했단다. 익아, 네가 보기에도 내가 너하고 숙이를 차별해서 키웠니?

오익은 뭐라고 대답하기 어려웠다. 자신이 오숙보다 더 좋은 대접을 받고 자란 기억은 없지만 차별은 당한 사람이 아니고는 모르는 문제이니 오숙이 차별을 당했다고 느꼈다면 그럴 수도 있을 것이다.

왜 오빠만 대학 보내주고 지는 안 보내줬느냐고.

그건 그때 숙이가 아파서……

내 말이 그 말이다. 숙이 그게 고3 때 인후 결핵인가 뭔가 걸려서 병원비 숱하게 까먹은 건 그렇다 쳐도 점수를 그따위로 받아놓고 무슨 대학 타령이니? 점수만 좀 잘 받았어도 내가 대학을 보냈지 안 보냈겠니? 아무리 그때 형편이 그 지경이었어도 내가 무슨 수를 써서라도 보내긴 보냈겠지.

그런 얘기를 하지 그러셨어요?

내가 그런저런 얘기를 안 했겠니? 숙이 그게 듣지를 않는다. 지 말만 하고 내 말을 듣지를 않아. 지가 못한 건 하나도 생각을 안 하고 재수 안 시켜줬다 돈 벌라고 대학 안 보낸 거다 자기만 차별

했다 요즘 세상천지에 대학 안 나온 사람이 어디 있는 줄 아느냐 조선시대도 아니고 딸만 공부 안 시키는 그런 거지같은 집구석이 어디 있느냐고 악을 악을 써대는데, 아이고……

그러면서 어머니도 점점 오숙을 닮아가는지 낮이고 밤이고 전화를 걸어왔고, 가끔 전화를 안 받거나 꺼두면 반응이 올 때까지 집요하게 문자며 카톡을 해대는 통에 오익은 보통 성가신 게 아니었다.

오익은 낮에는 유회장의 사무실에서 상근 아르바이트를 하고 밤이면 카페에서 논문을 썼다. 유회장은 기업체 회장은 아니고 풍수연구회 회장 겸 역사가 오십 년이 넘는다는 근처 모 초등학교의 총동창회장이었다. 사무실은 오래된 상가 건물 이층이었는데, 안 그래도 작은 공간을 칸막이로 나누어 반은 풍수연구회, 반은 총동창회 사무실로 썼다. 오익은 오전 열시쯤 출근해 청소를 하고 이쪽저쪽에서 걸려오는 전화를 받고 주소록을 수정하고 회보를 만들어 회원들에게 부치는 등의 잡무를 담당했다. 일이 힘들지는 않았지만 자잘한 업무로 시간이 쪼개졌고 어머니의 전화를 받은 날이면 마음이 심란해 저녁에 퇴근하면서 근처 상가 사람들과 어울려 술을 먹는 일이 잦아졌다. 그러다보니 사무실 상근을 하며 차분히 논문 자료를 읽고 밤이면 카페에서 논문을 써나가려던 계획에 차질이 생기기 시작했다.

오숙에게서 문자가 온 날도 오익은 술자리에 있었다. 그날은 한 식당 풍미정에서 아르바이트를 하던 송희씨가 온다 간다 말도 없이 사라진 지 사흘째 되는 날이라 열받은 풍미정 방여사가 깃발을 잡고 1차를 냈다. 1차가 끝난 후엔 다들 우르르 맥줏집으로 몰려갔다.

맥줏집에 도착해서 유회장과 청과 일을 하는 철호는 전화를 걸거나 받았고 안경점 김씨와 방여사는 화장실에 갔다. 혼자 창가 자리에 앉아 있던 오익이 안주로 나온 구운 노가리를 손질해놓고 손을 냅킨에 닦고 있을 때 문자 알림음이 울렸다. 문자함을 열어보니 오숙이 보낸 장문의 메시지가 주르르 펼쳐졌다.

오숙은 어머니에게는 그렇게 뻔질나게 전화를 하면서도 오익에게는 전화를 한 적이 없었다. 그래서 그는 모든 문제는 어머니와 오숙 사이에 일어난 일이라고 생각해왔다. 그런데 오숙이 참으로 뜬금없고 해괴한 내용의 메시지를 그에게 보내온 것이었다. 오익은 오숙이 보낸 메시지를 몇 번이고 되풀이해서 읽었다. 오숙은 그를 '너'라고 칭하고 있었다. 이제껏 오숙이 농담으로라도 그를 이런 식으로 부른 적은 한 번도 없었다. 오익은 휴대전화를 들여다보느라 화장실에서 돌아온 방여사가 옆자리에 앉아 자신을 부르는 것도 몰랐다.

박사님! 여기, 젊은 박사님!

오익은 자신이 박사가 아니라 박사논문을 쓰는 학생이라는 말을 반복하는 데도 지쳐서 그냥 네, 네, 하고 말았다.

 박사님한테 내 뭐 좀 하나 물어봅시다. 세상에는 분명히 위가 있고 아래가 있잖아. 안 그래요? 위에 있는 사람이 있고 아래에 있는 사람이 있고, 또 위하고 아래는 분명히 차별이 지거든요. 내가 올려다보고 무서워하는 사람하고 나를 올려다보고 무서워하는 사람하고 차별이 지지 안 지나? 그러니까 우리가 딱 균형을 잡고 살 수가 있는 거거든. 사막 한가운데 있어봐요, 방향을 못 잡지. 허공에 붕 떠 있어도 마찬가지라고. 상하, 좌우, 그게 있어가 다 자기 분수를 알고 자기 처지를 알고 살아간다고, 나는 그래 생각해요.

 옳습니다, 누님! 안경점 김씨가 말했다.

 그렇죠? 난 진짜 김사장하고 잘 통해. 우리가 정 나눔 하면서 살아온 세월이 얼마야, 응? 그런데 참 이상한 게 뭐냐면, 송희가 처음 왔을 때 애가 전혀 그런 감을 못 잡고 있더라고. 내가 그래가 어디서 이런 알밤 같은 게 튀어나왔나 했지. 분명히 지가 내 아랜데, 아래도 한참 아랜데 이게 자꾸 신경 쓰이게 넘어오니까 내가 영 말랑하지가 않은 거야. 아유, 우리 유회장님, 어서 와 앉으세요.

 전화를 끊고 돌아온 유회장이 자리에 앉으며, 이 자식이 전화를 안 받네, 어쩌고 툴툴거렸다. 곧 전화를 끊고 돌아온 철호도, 명구 이 새끼 아무래도 오늘은 어렵겠다는데요, 했다.

 그래? 그럼 할 수 없지. 우리끼리 마시지 뭐.

 김씨가 맥주잔을 들자 방여사가 잔을 부딪쳤다.

오늘 2차는 유회장님이 쏘신답니다!

철호의 말에 모두 환호성을 질렀다. 맥주를 들이켠 후 유회장이 말했다.

방여사님이 송희 얘기를 하시니까 내가 생각나는 게 있는데, 이게 좀 된 얘긴데, 하고 유회장은 입가의 거품을 닦으며 뜸을 들였다. 예전에 송희 걔가 나한테 술 한잔 사달라고 찾아왔더라고.

오익은 철호의 눈이 커지는 걸 보았다.

그래서 뭐 내가 그깟 술 한잔 못 사주나 사주마 했더니 자기 친구가 하는 가게가 있는데 거기서 사달라는 거야. 뭐 좋다 하고 거길 갔지. 양주하고 맥주하고 안주 두어 개 시켜 먹었나, 다 먹고 나오면서 계산을 하는데 술값이 엄청나게 나온 거야. 내가 술이 확 다 깨더라니까.

이번에는 방여사의 눈이 휘둥그레졌다.

그래서요?

그래서? 아 그걸 뭐 어떡해요? 친구 가게라는데 따지기도 그렇고. 내가 계산 끝내고 화장실에 갔다 나오니까 송희가 입구에서 기다리고 섰다가 죄송해요, 하더라고. 뭐가 죄송하냐 물었더니 그냥 이런 모습 보여서 죄송하다고, 계속 죄송해요, 죄송해요, 그러더라고.

철호가 물었다.

송희씨 친구가 한다는 그 가게 말입니다, 회장님. 문 앞에 달이랑 별이 붙어 있고 그런 데 아닙니까?

달이랑 별? 글쎄 그건 잘 모르겠는데.

여기서 좀 먼 데죠?

허 참, 나.

유회장은 즉답을 피했지만 그래서 더 즉답이 되었다.

아이, 이제 송희 그년 얘기는 그만하고, 방여사가 잔을 들었다. 우리끼리 정 나눔 하면서 재미나게들 마십시다!

오익은 갑자기 뭔지 모를 어떤 감정이 밀려오는 것을 느꼈다. 휴대전화를 열어 오숙의 문자를 삭제하고 고개를 드는데 붉게 달아오른 유회장의 얼굴과 까무잡잡한 철호의 얼굴이 겹쳐 보였다. 오익은 살짝 진저리를 쳤다. 달과 별이 붙어 있는 출입문 앞에서 송희씨가 말했다. 죄송해요. 오익이 물었다. 뭐가요? 송희씨가 약간 고개를 숙인 채 말했다. 그냥 이런 모습 보여서 죄송해요 정말. 죄송, 죄송, 할 때마다 송희씨의 입술이 뾰족해졌다 부드럽게 풀리는 걸 오익은 이상한 마음으로 바라보고 있었다.

오익이 비틀거리는 몸을 가누고 문 비밀번호를 누르는데 휴대전화 벨이 울렸다. 문을 열고 들어와 불을 켜고 양말을 벗는 내내 벨은 끊어지지 않고 울렸다. 전화를 받자마자 어머니가 외쳤다.

익아, 왜 전화를 안 받니? 왜 이렇게 전화를 늦게 받는 거니?

왜요?

오익은 느긋하게 물었다.

이게 무슨 일이냐? 숙이 그게 나한테 문자를 보내서 토사구팽을 당했다 어쨌다 하면서 의절을 하겠다는데 내가 도대체 어이가 없구나.

오익은 오숙이 자신에게 보낸 그 어처구니없는 문자를 어머니에게도 보냈으리라고 짐작은 했지만 막상 듣고 보니 기가 막혔다. 오숙이 보낸 문자를 요약하자면, 자신이 '너'로부터 토사구팽을 당했으며 그후 어떻게든 '너'를 용서하려고 구밀복검과 교언영색으로 '너'를 대해왔으나 도저히 용서가 안 되어 이 순간부터 '너'와 인연을 끊고 평생 의절하겠다는 내용이었다.

저도 봤어요.

너한테도 보냈니, 그게?

네.

오익은 오숙이 어머니에게도 '너'라고 보냈을까 생각하니 웃음이 났다.

넌 이게 웃을 일이니?

아니, 그게…… 오익은 웃음을 누그러뜨리고 말했다. 토사구팽은 그렇다 쳐도 구밀복검이나 교언영색은 너무 우습잖아요?

그게 뭐가 우습니? 난 무섭기만 하다.

일단 오숙이 토사구팽을 당했다는 말은, 사실 여부를 떠나, 오숙의 입장에서 오익과 어머니를 원망하고 비난하는 말이 될 수 있었다. 하지만 그후 구밀복검과 교언영색으로 살아왔다는 말은 오숙 스스로의 삶을 비난하는 말로, 오숙은 그런 말을 태연히, 나는 입에 꿀을 바르고 가슴엔 칼을 품고 살았노라, 나는 간교한 말과 거짓 낯짝으로 살았노라, 실토하고 있는 셈이었다. 오숙이 그 말 뜻을 제대로 이해나 하고 쓴 건지 의심스러웠다.

어머니는 구밀복검이 안 우습고 무섭다고요? 그런 무협지 같은 말이?

그래, 무섭지. 무서운 말이다. 구밀 그런 말은.

구밀은 입에 꿀을 바른다는 뜻인데 뭐가 무서워요? 복검이 무섭죠. 배에 칼을 품고……

얘가, 자꾸 그런 말 하지 말라니까.

제가 한 말이 아니고요……

아니 누가 했건 그런 흉한 말 하지 마라, 익아.

제 말은 숙이가 아무리 분한 게 있어도 그런 말은 이럴 때 쓰는 적당한 말이 아니라고요. 차라리 절치부심을 했다 그러면 또 몰라도.

아이고, 난 절치부심도 싫다.

그러면 와신상담이라도……

아니 얘가 왜 자꾸, 나는 그것도 싫어!

오익은 하하, 하하, 웃었다. 이러다 우리 어머니 한자성어 포비아에 걸리겠구나. 그래서 시험삼아 아무 한자성어나, 이를테면 등

하불명 근묵자흑 같은 교훈적인 것부터, 효를 중시하는 어머니의 마음에 쏙 들 만한, 수욕정이풍부지, 자욕양이친부대, 같은 말까지 해볼까 하다 다시 하하, 하하, 웃었다. 언제인지 모르게 전화가 끊겼고 오익은 그대로 쓰러져 잠들었다.

다음날 아침에 깨어 오늘로 오숙과 의절한 지 일일째구나 생각할 때만 해도 오익은 피식 웃음이 났다. 매제인 정서방이 돈을 얼마나 잘 버는지는 몰라도 오숙의 기세가 하늘을 찌른다 싶었다. 그러나 의자에 앉아 물을 마시며 어젯밤에 자신이 허물처럼 벗어놓은 바지를 물끄러미 내려다보던 그는 갑자기 뭔지 모를 어떤 감정이 밀려오는 걸 느꼈다. 언젠가 어머니가 전화로 했던 얘기가 생각났다.

숙이 지가 오빠랑 살면서 오빠 밥 해대고 오빠 빨래 해대고 그러면서 직장을 다녔단다. 그렇게 지가 번 피 같은 돈으로 오빠 학비 대고 오빠 바지 사주고 그랬다고. 오빠라고 키도 하필 땅딸막해가지고 지가 맨날 새 바지 사주면 세탁소 가서 멀쩡한 바지를 땅딸이 반바지로 줄여오고 그랬다고. 그랬는데 지 시집갈 때 친정에서 해준 게 뭐냐고.

전혀 기억에 없는 일이었지만, 설사 그런 일이 있었다고 한들, 오익이 그렇게 해달라고 오숙에게 부탁한 적은 한 번도 없었다. 다 저 좋아서 한 일이었다. 오숙은 어려서부터 그를 잘 따랐고 자랑스러워했다. 그런데 아무리 못 배워먹었기로, 또 아무리 우울증에 시달리기로, 말이 아 다르고 어 다른데 오빠에게 땅딸막이니 땅딸이 반바지가 뭔가.

오익은 의자에서 굴러내려와 자신의 바지에 달려들어 구겨진 바지를 늘이듯 양쪽으로 잡아당겨보았다. 아무리 당겨도 짧았다. 숙이 그건 키라도 크지, 키 차별은 안 당해본 사람은 모르지, 송희 씨도 그래서 나를 그렇게 얕봤나, 그런 한심한 생각이 꼬리를 물고 이어졌다.

처음에 어머니는 가족 간에 의절이라니 집안 망신도 이런 망신이 없다, 숙이 년을 가만두지 않겠다, 같잖은 년이 참 같잖은 짓도 한다며 울분을 토했다. 그러다 아니라고, 아닐 거라고, 이건 분명히 숙이가 뭔가 단단히 오해를 해서 생긴 일이 분명하다며 숙이의 오해를 풀어주겠다고 줄기차게 전화를 해댔다. 오숙이 전화를 받지 않자 어머니는 사위인 정서방에게 전화를 해서 만나기까지 했다. 마침내 정서방도 어떻게 해볼 수 없는 일이라는 걸 깨닫고 어머니는 풀이 죽었다. 한동안 조용하던 어머니가 다시 전화를 해왔을 때 오익은 이번엔 어머니가 어떤 방도를 찾아냈는지 궁금했다.

내가 어리석었다.

어머니의 첫마디였다.

뭐가요?

익아, 너 원채가 뭔지 아니?

원채요?

전생에 진 빚이 원채다.

원죄와 같은 것인가, 오익은 생각했다.

원채가 얼마나 무서운 것인지 들어보라며 어머니가 긴 이야기를 시작했다.

옛날에 아주 눈에 넣어도 안 아플 아들 삼 형제를 둔 아비가 있었단다. 늦도록 자식이 없다 얻은 아들들이라 더 귀했다고, 아들 셋이 노는 것만 봐도 배가 부르고 아들들이 크는 재미에 늙은 몸으로 힘든 줄도 모르고 죽자고 일을 했는데, 어느 날 삼 형제가 한꺼번에 이름 모를 병에 걸려 시름시름 앓다 한날한시에 죽고 말았다. 그러니 그 아비의 슬픔이 오죽했으랴. 아비 또한 식음을 전폐하고 괴로워하다 아들 셋을 따라 죽고 말았는데, 천상에 올라가보니 저편 구름 위에서 아들 삼 형제가 생전의 그 귀여운 모습 그대로 모여 앉아 우애 있게 놀고 있더란다. 아비가 반가운 마음에 눈물을 흘리며 한달음에 달려가니 아들 셋이 한결같이 무섭게 눈을 흘기고 싹 돌아앉아 저 원수가 왜 여기까지 따라왔느냐고 자기들끼리 쑥덕거리더란다. 기가 막힌 이 아비가 옥황상제를 찾아가 그 까닭을 여쭈니 옥황상제가 진정 네가 그 이유를 알고 싶으냐 묻더란다. 아비가 그걸 알기 전에는 죽어도 죽은 게 아니라고, 제발 그 이유만이라도 알려달라고 머리를 조아리자 옥황상제가 전생을 보여주더란다. 전생에 이 아비는 포수였는데 쏘아 맞히는 솜씨가 보통 빼어난 게 아니었다. 어느 날 나뭇가지에 까치 삼 형제가 나란히 앉아 있는 걸 보고 고을 원님이 누가 저 새 세 마리를 한 번에 맞혀 죽일 자가 있겠느냐 하고 물으니 포수가 썩 앞으로 나서며 내가 해보겠소 했더란다. 모여 있던 사람들이 그건 도저히 어려우리라고 입을 모아 말했으나 포수는 껄껄 웃으면서 대번에 활을 쏘아 새 세 마리를 한 번에 꿰맞혀 죽였단다.

포수가 활을? 오익은 물으려다 입을 다물었다.

그때 죽은 새 세 마리가 다음 생에 포수의 아들로 환생해 태어난 것이었다지 뭐니? 그래서 천상에서 만난 아들 삼 형제가 아비를 보고 원수라고 했던 거란다. 익아, 원채에는 여러 가지가 있어서, 돈으로 진 빚은 전채, 정으로 진 빚은 정채, 몸으로 진 빚은 육채라고 하는데, 그중 제일 무서운 게 남의 목숨을 빼앗은 명채란다. 그러니 참새 삼 형제를 죽인 포수의 그 죄가 얼마나 크겠니?

오익은 참새 아니고 까치, 하고 속으로 중얼거렸다.

이 얘기를 듣고 내가 가만 생각해보니, 어머니는 한숨을 푹 쉬고는 말을 이었다. 전생에 내가 숙이를 어디다 내다버렸었나보다 싶다. 내가 절 버렸으니 어린 게 그 얼마나 애통했겠니? 그 애통함을 지금 생에 풀고 가려고 숙이가 저러는 게 아니겠니? 안 그러고는 숙이가 이럴 애가 아니거든. 내가 처음엔 속 좁게 숙이 그걸 무식하고 미친 년이라고 생각도 했지만 참 어리석었지. 숙이가 오죽하면 이러겠나 생각하니 마음이 아프다. 원채 중에 이건 그러니까 내 생각에 정채 같다. 전생에 너하고 나하고 숙이한테 정으로 많은 빚을 진 게지.

오익은 왜 어머니가 자기까지 끌고 들어가는지 의아했지만 역시 잠자코 있었다.

지금은 숙이가 전생의 원한을 못 풀고 마음을 굳게 닫아걸었지만 우리가 진심으로 정을 주고 위해주면 언젠가는 마음을 열 거다. 명채는 명으로 갚고 정채는 정으로 갚아야 한단다. 그러니 우리가 날이면 날마다 숙이에게 정을 듬뿍 주자, 익아.

정을 무슨 수로 줘요? 전화도 안 받는다면서요?

마음으로 주는 거지. 진심을 다해 정을 주면, 정은 다 통하게 돼 있다.

오익은 어머니의 정 타령을 들으며 풍미정 방여사가 입에 달고 사는 정 나눔이란 말이 떠올랐다. 참으로 지겨운 말들이었다.

그후로 어머니는 오익에게 전화를 해서 이런저런 얘기를 하다 마지막엔 꼭 오숙에 대한 기억을 하나씩 환기시키고야 전화를 끊었다. 익아, 오늘 동네에 엿장수들이 왔더라. 왜 각설이 거지꼴로 옷을 해 입고 노래 시끄럽게 틀어놓고 엿 파는 사람들 있잖니? 가위로 엿을 깨서 지나가는 사람들한테 먹어보라고 나눠주기도 하던데 똑 숙이 생각이 나더라. 숙이가 엿을 참 좋아했지. 젊은 애가 웬 엿을 그렇게 좋아했나 몰라. 그런 식이었다.

오익에게 증상이 나타난 건 그리고 얼마 뒤였다. 오랜만에 학교 때 선배들을 만나기 위해 전철역을 향해 가던 중에 어머니에게서 전화가 걸려왔다. 대꾸를 하면 통화가 더 길어질 테니 아무 말도 하지 않으리라 굳게 결심했지만 어머니가 다짜고짜 나는 요양원 같은 데는 죽어도 가지 않겠다고 선언하듯 말하는 바람에 누가 요양원에 가시라고 한 적이 있느냐고 물을 수밖에 없었다.

익아, 요양원에서는 국에다가 미원 대신 비료를……

그는 주변의 소음 때문에 잘 알아듣지 못한 줄 알았다.

비료라고요?

그래, 요양원 조리사가 비료 포대에서 비료를 국자로 퍼서 국에다 넣는 걸 봤단다.

오익이 설마, 하자 어머니는 요양원에서 살다 나온 노인이 직접 한 얘기라고 했다. 예전 같으면 이런 말도 안 되는 얘기는 건성건성 들어주다 끊었겠지만 이제 하나밖에 안 남은 자식으로서 오익은 어머니에게 작은 성의라도 보이는 시늉을 해야 했다.

그걸 직접 들으셨다고요?

아니, 직접은 못 들었고 다들 그렇게 들었다고들 하니까……

어머니는 얼버무리는 기색이더니 갑자기 어딘데 이렇게 시끄럽냐고 물었다. 전철역이라고 하자 어머니는 오숙에 대한 정다운 기억을 나누기엔 분위기가 적당하지 않다고 생각했는지 이만 끊고 이따 통화하자고 했다.

전철을 타고 가면서 오익은 어머니와의 통화를 천천히 곱씹어보고서야 그 진의를 짐작할 수 있었다. 어머니가 비료 얘기까지 들먹이며 결단코 요양원에 가지 않겠다고 한 말 속에는, 오익과 오숙이 당신을 요양원에 보내는 자식들이 되어서는 안 된다는 것, 그러려면 어떻게든 남매가 힘을 합쳐 당신을 부양해야 하는데, 오익이 보내는 돈이야 워낙에 보잘것없지만 오숙은 아마도 그간 꽤 넉넉한 용돈을 보냈을 텐데 그 돈이 뚝 끊기고 말았다는 것, 그 돈을 다시 받으려면 가족이 한시바삐 화해를 해야 하는데 어머니 당신은 오숙에게 전생의 정채를 갚기 위해 갖은 노력을 다하고 있지만 오익이 그걸 성의껏 갚고 있지 않아 화해가 지연되고 있다는 것, 그러니 모든 책임은 오익에게 있다는 것 등의 암시가 들어 있었다. 오숙과 의절한 뒤로 어머니의 모든 메시지는 오숙으로 집중되었다.

오익은 약속한 삼거리에서 정과 백을 만났다. 정과 백은 동갑이었고 오익은 그들보다 두 학번 아래였다. 셋은 한때 대학원 연구실에서 함께 공부하고, 식당에서 중식과 석식을 먹고 밤이면 술을 마시던 사이였다. 정은 지난 학기에 교수에 임용되었고 백은 아직도 시간강사를 뛰고 있었다. 상가 사람들만 만나다 오랜만에 선배들을 만나자 오익은 묵직한 자부심과 친밀감을 느꼈다.

그들은 근처 음식점을 검색해본 후 질 좋은 한우를 값싸게 먹을 수 있다는 한우 정육 식당을 찾아갔다. 정이 매장 입구에 있는 정육 코너에서 먹고 싶은 걸로 고르라고 하자 백이 살치살 어때, 했다. 고깃집 사장이 꽃등심도 좋다고 드셔보시라고 권했다. 백이 그럼 살치살하고 꽃등심 시킬까, 묻자 정이 일단 꽃등심부터 먹어보자고 했다. 꽃등심은 큼직한 것 한 덩이와 그보다 작은 것 한 조각이 나왔다. 그들은 달궈진 불판에 큰 덩이부터 구워먹었다.

채소를 안 먹으니 느끼하네. 백이 말했다.

드세요, 형. 오익이 상추와 고추가 담긴 바구니를 백 앞으로 밀어놓았다.

내가 지금 날 걸 못 먹어.

왜? 정이 물었다.

요새 설사병이 나서.

저런. 설사병 났는데 고기는 괜찮나?

정의 말을 백은 못 들은 척했다. 등심의 큰 덩이는 먹을 만했지만 작은 조각은 질겼다. 정이 이번엔 자기가 직접 고기를 골라오겠다며 자리에서 일어났고 그 뒤에 대고 백이 살치살을 먹자고 외쳤다. 잠시 후 정이 돌아왔다.

살치살 시켰어? 백이 물었다.

시켰지. 정이 말했다.

살치살이 맛있어요? 오익이 물었다.

맛있지, 하고 백이 말했다.

내가 말이야, 정이 불판에 남은 등심 조각을 젓가락으로 가리키며 말했다. 사장한테 가서 등심이 큰 건 괜찮았는데 작은 건 좀 질기더라고, 단골한테 이럴 수가 있느냐고 그랬더니 뭐가 찔리는 게 있는지 뜨끔하면서 아, 그러시냐고 그래.

누가 단골인데?

백의 질문을 무시하고 정은, 아무튼 이번엔 제대로 된 고기가 올 거라고, 주인이 뜨끔했으니까, 하며 웃었다. 백이 그럴 거라고, 네가 워낙 소도둑놈처럼 생겼으니까 주인이 오죽 뜨끔했을 거냐고 대꾸했다. 정은 웃지 않았고 오익은 웃었다. 정의 말대로 살치살은 제대로 된 고기가 왔고 양도 넉넉했다.

역시 뜨끔한 게 맞지? 정이 의기양양해서 말했다.

그들은 각자 살치살을 한 점씩 불판에 올려놓았다. 정은 살짝 핏물이 배어 나오자 바로 집어먹고는 부드럽네, 했다. 등심보다 훨씬 낫지 않으냐고 백이 묻자 정은 그저, 부드러워, 하고 말았다. 백과 오익도 적당히 익힌 살치살을 입에 넣었다. 정말 부드럽다고 오익이 말하자 그러게 등심보다 훨씬 낫다니까, 하고 백이 말했다. 정은 말없이 불판에 살치살을 두 점씩 얹어 구웠다.

백이 주위를 두리번거리며 여기 금연인가, 묻자 정이 요즘 금연 아닌 데가 어디 있느냐고 했다. 백은 고기 굽는 집에서 금연하는 걸 이해를 못하겠다면서 연신 살치살을 구워 입에 넣는 정을 바라보다 결심한 듯 자리에서 일어나 담배를 피우러 나갔다. 백이 나가자 정이 소기름으로 적당히 위에 코팅을 했으니 이쯤에서 술을 시키자고 했다. 오익이 소주를 시켰고 술이 나오자 정은 내일 아침에 중요한 회의가 있어서 자기는 오늘 많이는 못 마신다고 했다. 왠지 오금을 박는 듯한 그 말투에 오익은 기분이 상했다.

난 안 마실래요, 형.

왜? 끊었어, 술?

아뇨, 한동안 많이 마시고 다녔어요.

그래? 누구랑?

그냥 이런저런 사람들하고.

요즘엔 안 마시고?

뭐, 그냥……

왜?

그러니까 그게…… 오익은 무슨 말인가 하고 싶었지만 무슨 말을 해야 할지 몰랐다. 요즘요, 가슴이 막 답답하고…… 도대체…… 여자들이…… 여자들은 왜 그러는 거예요, 형?

정은 살치살을 씹으며 응, 여자 문제구나, 했다.

아니, 여자 문제는 아니고……

홍삼을 먹어라.

네?

정이 고개를 끄덕끄덕했다.

홍삼을 먹어. 내가 홍삼 먹은 지 두 달 됐는데 좋아.

백이 돌아올 때까지 정은 오익에게 홍삼의 효능에 대해 설명했다. 담배를 피우고 돌아온 백이 술을 보고 반색을 했다. 정과 백은 술잔을 부딪쳤고 오익은 가스버너의 불을 조금 줄였다. 기름냄새 때문에 머리가 지끈거렸다. 선배들을 처음 만났을 때의 묵직한 기쁨은 온데간데없이 사라졌고 차라리 상가 사람들이 그리웠다. 얼른 이 자리를 끝내고 상가 사무실로 돌아가 철호와 술이나 한잔해야겠다고 생각하는데 소리가 들려왔다.

새 세 마리……

오익은 흠칫 놀라 주위를 살폈다. 정이 백의 빈 잔에 술을 따르며 떠들고 있었다. 내가 아까도 잠깐 오익이한테 얘기했지만 너도 꼭 홍삼 먹어라. 너무 좋아. 내가 홍삼 먹은 지 두 달 됐는데 주량이 엄청 늘었어. 백이 건성으로 고개를 끄덕이다 근데 말이야, 하고 어디 대학의 아무개 교수가 아프다더라고, 아주 위중하다더라는 얘기를 했다. 아무도 새 세 마리 같은 말을 하지 않았다는 걸 오익은 알고 있었다. 그러나 누군가가 자신의 귀에 입을 대고 숨결마저 끼었는 목소리로 그 말을 속삭인 듯한 느낌은 도저히 부인할 수 없는 실감이었다. 새 세 마리…… 오익은 음소거하듯 가스버너의 손잡이를 돌려 불을 꺼버렸다.

그 이후로 자주는 아니고 가끔 오익의 귀에 어떤 소리들이 들려왔는데 '새 세 마리'와는 달리 의미를 알 수 없는 소리가 대부분이었다. 의미를 찾으려고 애쓰다보면 실제로 들려온 소리가 점점 더 모호하게만 생각되었고 과연 들려온 것이 맞는지, 자신이 들은 것이 확실한지 알 수 없었다. 어느 날 오익은 샤워기의 물줄기가 쎄에— 세에— 쏟아지는 소리를 듣고 혹시 자신이 이런 물소리를 '새 세 마리'로 잘못 들은 게 아닐까 싶어 쎄에— 세에— 소리 뒤에 어떻게든 마리와 비슷한 소리가 만들어지도록 샤워기를 벽과 거울과 세면대에 분사해보았다. 만족스러운 결과가 나오지 않자 욕실 바닥에 온갖 물건을 늘어놓고 실험도 해보았다. 젖은 수건과 타일 바닥의 경계면에 가깝게 샤워기를 분사했을 때 데리릭 하는 소리가 났고 그는 데리릭과 마리릭이 비슷하게 들릴 수 있다는 걸 증명하기 위해 한참 동안 입속에서 데리릭 마리릭 웅얼거려도 보았다. 심지어 자신의 목소리를 녹음해놓고 데리릭이 마리릭으로 들리는지 반복해 듣기도 했다.

이렇게 '새 세 마리'를 무의미한 음향으로 바꾸려는 노력을 거듭하는 것과는 모순되게 오익은 자신의 귀에 들려오는 무의미한 음향이 어떤 의미를 갖는지 추적하는 노력 또한 멈출 수 없었다. 이를테면 파훗키에에— 이런 비슷한 소리가 들려온 후 오익은 그게 무슨 뜻인지 골똘히 생각하다, 파—괴—가 아닐까 생각했고, 또 한참을 더 생각해보고 파죽지세일지 모른다고도 생각했다. 그러나 파괴든 파죽지세든 그게 무슨 의미인지, 어떤 깊은 암시를 담고 있는지는 알 수 없었다. 그렇게 오익은 환청 이후의 초조한 상태에 사로잡혀 양손으로 무엇인가를 찢거나 비비거나 돌리면서 한두 시간씩 멍하니 앉아 있는 일이 잦아졌다.

오익은 유회장의 사무실에 앉아 창밖에 내리는 비를 바라보며 간밤에 꾼 꿈을 생각하고 있었다. 오늘 새벽에 그는 카페에서 돌아와 잠들지 못하고 뒤척이다 가위에 눌리는 것과 비슷한 경험을 했다.

첫 징조는 오숙이 욕실에서 뭐라고 떠들면서 웃는 소리를 들은 것이었는데, 오익은 그럴 리가 없다고, 오숙은 제 방에서 자고 있으리라고 생각했다. 오숙과 떨어져 산 지가 오래인데 꿈에서는 오숙과 함께 살고 있었다. 그래서 오숙의 존재에 대해서는 의심하지 않았고 다만 오숙이 왜 이 시간에 자지 않고 욕실에 있는지, 설사 욕실에 있다고 해도 벽 너머로 들려오는 오숙의 목소리와 웃음소리가 어쩌면 이렇게 가깝고 생생히 들리는지 의아할 따름이었다. 그 생생한 웃음소리의 여운과 함께 오익은 다른 꿈으로 넘어갔다. 교수임이 분명한, 아마 지도교수인 박선생이 아닐까 싶은 사람과 정체를 알 수 없는 서너 명이 오익을 둘러싸고 그가 무엇을 하는지 지켜보고 있는 상황이었다. 그런데 그가 그들이 요구하는 그 무엇을 하지 않으려 했거나 시간을 지체시키고 있었던 것 같았다. 그들은 망부석처럼 서서 기다렸고 그는 무엇을 해야 할지 모른 채 머뭇거렸다. 그러다 어느 순간 갑자기 그들 속에 있는 줄도 몰랐던 어떤 존재가 들소처럼 뛰어나오더니 그에게 훅 달려들어 그를 넘어뜨리고는 위에 올라타고 앉아 무언가를 강하게 요구하는 눈빛으로 무섭게 내려다보았다. 그 순간 박선생과 나머지 사람들은 모두 사라지고 소귀신 같은 그 존재와 그만이 남았다. 귀신의 얼굴은 매우 크고 검붉었고 짧은 곱슬머리는 허공에 부하게 떠 있었는데 남자인지 여자인지 구별할 수 없었다. 귀신은 다부진 어깨와 두 팔로 쇠막대 같은 것을 움켜쥐고 그의 목을 짓누르려 했다. 그는 어떻게든 쇠막대를 들어올리려 했지만 점점 힘이 빠지면서 금세라도 목울대가 부러질 듯한 위기감을 느꼈다. 억억거리던 그는, 이게 가위눌리는 것이구나 싶어 의식적으로 귀신의 존재를 삭제하자고, 사라지게 하자고, 이것은 허구라고, 꿈이 만든 허구라고 주문을 외우듯 생각했다. 그러자 놀랍게도 그 주문이 효력을 발휘했는지 귀신이 천천히 뒤로 빨려나가듯 물러나며 흐릿해졌다. 마침내 귀신은 사라졌지만 여전히 그 잔영이 어른거렸고 무엇보다 그의 목울대를 누르던 쇠막대의 이물스러운 압박감과 그것을 막으려 힘을 준 손아귀와 손가락 마디마디에 얼얼한 열감이 남아 있었다. 아직도 꿈속인가, 악몽 속에 머물러 있는가 의심하며 오익은 최후의 확인을 위해 떠지지 않는 눈을 억지로 떴다.

눈을 뜨자 방안의 낯익은 어둠이 눈에 들어왔고, 자신이 오숙과 함께 살고 있지 않다는 사실도 깨달아졌다. 잠시 후 다시 눈을 감자 탈진한 몸으로 여전한 악몽의 기운이 서늘하게 퍼져나갔다. 오익은 쇠막대를 들어올리는 것만큼의 안간힘을 써 굳은 몸을 옆으로 돌아 눕혔다. 그렇게 몸을 움직이고 나자 간신히 악몽의 기운에서 벗어나면서 눈을 뜰 수 있었다. 눈을 감지 않기 위해 벽의 한점을 뚫어지게 바라보며 오익은 그런 생각은 하지 말자, 아무 생각도 하지 말자 다짐했지만 그 생각을 떨치기는 불가능했다. 그 소귀신 같은 존재는 오숙이었구나. 욕실에서 들려온 건 그 귀신의 웃음소리였구나.

전화벨이 울렸고 오익은 전화를 받았다. 이번에도 어머니는 다짜고짜 명자네 집 노인네가 귀가 먹어서 도대체 답답하기가 이루 말할 수 없다며 불평을 늘어놓았고, 세상에 벗삼을 사람이 없다고도 한탄했다. 그러다 갑자기 아니 쟤는 왜 비를 맞고 댕기니, 우산도 있는 놈이, 했다. 예전 같으면 이건 또 누구 얘긴가 했겠지만 이제 오익은 어머니가 어디 나와 앉아 우산을 든 채 비를 맞고 걸어가는 놈을 보고 있으려니 짐작했다. 그가 자정쯤 카페에 앉아 유리 너머로 지나가는 사람들을 바라보다 어느 순간 그들과의 거리감이 상실되는 듯한 이상한 감정에 사로잡히듯 어머니 또한 그렇게 어딘가를 내다보며 저 녀석은 왜, 저 양반은 왜, 그런 말을 중얼거리는 것이라고. 오익은 차분히 기다렸다. 오늘 어머니는 오숙에 관해 또 무슨 얘기를 할 것인가.

익이 너도 알다시피 숙이가 참 착했잖니.

드디어 시작되었다.

네.

뭣보다도 여자지만 의리도 있고.

네.

언젠가 숙이가 그러더라. 지는 엄마한테 의리를 안 지킨 적이 한 번도 없다고, 한 번도 의리를 저버린 적이 없다고. 근데 오빠는 어떤 줄 아냐면서, 그것도 아버지라고 그 인간 재혼할 때 양복 차려입고 가더라고, 지는 혀를 깨물고 죽는 한이 있어도 그런 데 갈 생각은 안 했다면서, 엄마가 어떻게 산 줄을 다 알면서 오빠는 어떻게 거길 가냐고, 거기가 어디라고 갈 생각을 하냐고 막 해대면서……

오익은 어머니가 오숙의 말을 빌려 자신에게 막 해대고 있다는 걸 알았다. 실제로 그는 대학원 등록금을 빌리러 아버지의 재혼식에 간 적이 있었다. 의리를 저버린 빚은 의채인가, 오익은 생각했다. 때로 어머니가 오숙의 입을 빌려 하는 말 중에는 그가 전혀 기억하지 못하는 일도 많았다. 실제로 그런 일이 있었는지 아닌지 알 수 없는 상태로, 모호한 기억과 말의 수렁에 잠긴 채로 그는 어머니의 말을 들었고, 그럴 때면 어머니가 자신을 아들이 아니라 원수로 여기는 건 아닌가, 심지어 가족을 버리고 떠난 아버지로 여기는 건 아닌가 하는 생각이 들었다.

전화를 끊고 오익은 노트북 화면을 뚫어져라 보았다.

掩襲하여오는 疲勞!
가슴치밀어노는 火氣!
찔으고, 쏘는 苦痛!!
그의게는 이런모든것을 經驗하기는
아즉도 넉넉한 餘生이 남아잇더라.

오래된 자료를 들여다보는 게 점점 힘들어지고 있었다. 한 글자 한 글자씩 읽어나가는 게 마치 원채의 장부를 들여다보는 일 같았다. 지도교수인 박선생은 오익이 논문에서 간과한 부분을 오익 스스로 알아채지 못했다는 이유로 그를 가혹하게 몰아붙였다. 자신이 알아챘다면 간과했겠는가. 마찬가지로 오익은 오숙이 얼마만한 분노가 있었기에 자신을 '너'라고 부르며 의절을 통보하는 문자를 보냈는지 알지 못했다. 앞으로도 알 수 없을 것이다. 그는 자신이 가까운 이에게 그런 분노를 심어줄 수 있는 사람이었다는 것을 몰랐다. 알았다면 그렇게 했겠는가. 무지는 가장 공격받기 쉬운 대상이지만, 무지한 사는 공격 앞에서 두려워 떨 뿐 무지하여 자기 죄를 알지 못하므로 제대로 변명조차 할 수 없다. 차라리 자신이 딸이었다면, 모든 걸 희생하고 차별받고 살아온 그런 존재였다면 오숙처럼 무섭게 돌변할 기회라도 있었으련만, 그는 한없이 억울했고 뭔지 모를 어떤 감정이 밀려오는 것을 느꼈다. 당장이라도 어머니에게 전화를 걸어 어머니만 그런 게 아니라 자신도 어머니를 닮아 도무지 잠을 잘 수가 없다고, 자신이 오숙처럼 되기를 바라느냐고, 앞으로 자기가 다 포기하고 희생하고 살면 되겠느냐고, 어머니가 원하는 게 무엇이냐고 따져 묻고 싶었다.

잠시 뒤 귓속 깊은 곳에서 이상한 소리가 들려왔다.

궤헤그르르…… 언뜻 개회 그릇이 연상되었지만 그건 말이 되지 않는다고 오익은 생각했다.

궤헤그르르…… 계륵인가, 개굴인가.

궤헤그르르…… 궤에 그릇이 들었다는 뜻인가.

궤헤그르르…… 오익의 두 눈이 슬슬 감겼다. 졸음이 쏟아졌다. 오익은 낮잠에 빠져들면서 자신이 결국 박사논문을 쓰지 못하리라고 생각했다. 그런 생각을 해도 아무렇지 않았고 지금 당장은 궤헤그르르…… 그 의미를 알아내는 일이 훨씬 중요한 것 같았다. 잠들면 악몽 속에서나마 알아낼 수 있을 것도 같았다.

기억의 왈츠

1

　얼마 전 동생 부부와 교외에 있는 숲속 식당에 다녀온 후부터 나는 오래전에 지나가버린 청춘의 한 시절을 자꾸 되돌아보는 버릇이 생겼다. 무려 삼십 년도 넘은, 거의 사십 년이 되어가는 머나먼 과거의 일들이다. 반복해서 돌이키다보니 처음에는 안개에 덮인 듯 아득했던 기억이 조금씩 또렷해지는 듯했고 점점이 끊겼던 사건의 순서가 느슨하게 연결되기도 했다. 잘못 기억했던 부분이 바로잡히거나 까맣게 잊고 있던 에피소드가 불쑥 떠오르는 일도 있었다.

　그러나 과거를 반추하면 할수록 내게 가장 놀라웠던 건 그 시절의 내가 도무지 내가 아닌 듯 무섭고 가엾고 낯설게 여겨진다는 사실이었다. 오래전 기억 속의 자신은 원래 그렇게 생각되는 법인지 모른다. 하지만 원래 그렇더라도 놀라운 건 놀라운 것이다. 내가 손쓸 수 없는 까마득한 시공에서 기이할 정도로 새파랗게 젊은 내가 지금의 나로서는 결코 원한 적 없는 방식으로, 원하기는커녕 가장 두려워해 마지않는 방식으로 살았다는 사실이, 내게는 부인할 수도 없지만 믿을 수도 없는 일처럼 느껴졌다. 이런 게 놀랍지 않다면 무엇이 놀라울까. 시간이 내 삶에서 나를 이토록 타인처럼, 무력한 관객처럼 만든다는 게.

그날 아침 휴대전화 벨이 울렸을 때 나는 자고 있었다. 화면에 동생 이름이 떠서 통화 버튼을 눌렀더니, 왜 안 내려와, 전화는 왜 안 받고, 하는 동생의 말이 쏟아져나왔다. 정신이 번쩍 들었다. 오전 열시에 동생 부부가 아파트 앞으로 데리러 온다고 했던 약속이 기억났다. 전날 밤에 알람을 아홉시에 맞춰놓고 잤는데 왜 듣지 못했는지 시간은 이미 열시 십오분을 지나고 있었다.

설마 지금 일어났느냐고 동생이 물었다. 으응, 하고 맥없이 웅얼거리다 지금 나갈게, 했더니 동생이 어이가 없다는 듯, 지금 일어났는데 지금 나온다고, 했다. 전화를 끊고 거울에 몰골을 비춰보는데 문 두드리는 소리와 언니, 언니, 부르는 소리가 들려왔다. 내가 문을 열자 동생이 굳은 얼굴로 언니, 너 뭐니, 하며 밀고 들어왔다. 나는 덮어놓고 사과부터 했다. 미안하다고, 내가 왜 이러는지 모르겠다고, 그러면서 넌지시 오늘은 너희 둘이서 점심을 먹으러 가면 안 되겠느냐고 물었다. 동생은 금세 표정을 풀고, 괜찮다고, 얼른 준비하고 나가자고, 오랜만에 바람 좀 쐬고 맛있는 것도 먹자고 다독였다. 나는 감읍하여 급히 욕실로 들어가다 발가락을 찧고 겨우 신음을 삼켰다. 씻고 나와보니 동생은 침대 시트를 정리해놓고 내가 입을 옷도 챙겨놓았다. 우리가 내려갔을 때 제부는 나가기 좋게 차를 출구 쪽으로 돌려놓고 반쯤 열린 차창 밖으로 손을 들어 인사했다. 내가 차 뒷좌석에 앉으며 미안합니다, 하자 제부는 아, 뭘요, 했다.

동생 부부는 혼자 사는 노모를 챙기듯 나를 챙긴다. 병원에 가야 할 일이 생기면 나를 병원에 데려다주고 데려오고, 적어도 한 달에 한 번 이상은 나와 함께 점심을 먹으려 한다. 나도 그 약속만은 지키려 하는데 은퇴한 내가 코로나 이후로 누구를 만나 식당에서 밥을 먹는 건 그것이 거의 유일하기 때문이다. 주로 내가 사는 아파트 근처 식당에서 밥을 먹곤 했는데 그날은 특별히 제부가 교외에 있는 숲속 식당에 우리를 데려가기로 한 날이었다.

강변을 달리는 동안 나는 차창 밖으로 흐르는 강을 홀린 듯 바라보았다. 강을 본 지 오래되었다는 생각이 들었다. 강은 가드레일 위로 보이다 말다 했다. 그러다 잠깐 졸았는지 동생이 아, 뭐야, 하고 외치는 바람에 놀라 깨었다. 제부가 중간에 길을 잘못 접어든 모양이었다. 차는 어느새 시원하게 뚫린 고속도로를 달리고 있었다. 공항고속도로여서 유턴을 하려면 한참을 가야 한다고, 또 비싼 통행료도 내야 할 거라고 동생이 쏘아붙이자 제부는 잠자코 있다가 거참 신기하네, 했다. 뭐가 신기하냐고 동생이 묻자 제부는 거참 신기한 게 빠져야 할 분기점만 되면 당신이 말을 건다고, 이번에도 보라고, 하필 거기 꺾어 들어가야 할 지점에서 당신이 식당 메뉴가 뭐 뭐 있느냐고 물어보는 바람에 정신이 팔려서 그냥 지나치지 않았느냐고 했다. 동생은 아무 대꾸도 하지 않았고 나는 창밖으로 보이는 삭막한 시멘트 방벽만 바라보았다.

인터체인지에서 돌아나와 한참을 달릴 동안 차 안은 조용했다. 제부가 유턴을 하여 다시 자유로에 접어들어 아까 놓친 첫번째 길에서 제대로 꺾었다. 그러나 두번째 길목에서 제부는 다시 길을 놓쳤고 동생은 절대 기회를 놓치지 않고 이번엔 누구 핑계 댈 게 없어 꼴좋다고 비아냥댔다. 제부는 운전하는 사람한테 왜 자꾸 시비를 거느냐고 고함을 쳤고 나는 잠자코 창밖만 바라보았다. 제부가 직진 후 다시 유턴을 하고 우회전을 하여 꼬불꼬불한 시골길에 접어들었을 때 동생이 차창을 조금 내리고 아, 시골 냄새 난다, 했다. 내가 동생에게 경탄하는 동시에 가슴 아프게 생각하는 대목이 이것이다. 어떻게 살아왔기에 이렇게 금세 풀고 마는가.

동생 말대로 열린 창으로 마른풀과 나무 냄새가 들어왔고 제부가 기다렸다는 듯 냄새 좋네, 냄새 좋아, 맞장구를 쳤고 동생이 이 식당은 어떻게 알게 된 거냐고 묻자 예전에 자전거 동호회 사람들하고 와본 적이 있는데 풍광도 좋고 국수와 전이 맛있어서 언제 꼭 당신하고 와야지 기억을 해놓았다고 너스레를 떨었다. 동생이 나를 돌아보며 보나마나 언닌 또 국수 먹겠네, 했고 나는 무조건 국수지, 했고 제부가 처형은 정말 국수 좋아하셔, 했다. 그래서 숲속 식당 주차장에 도착해서는 셋 다 화기애애한 마음으로 차에서 내릴 수 있었다. 이래서 그런 거냐, 동생아? 나 때문에⋯⋯

뜻밖에도 숲속 식당은 운치 있는 오두막 이런 게 아니라 둥근 유리 천장에 사방이 개폐 가능한 유리문으로 된 현대식 건물이었다. 식당 앞에서 제부가 내게 좋지요 뭐 어쩌고 했다. 청력이 좋지 않은데다 마스크 때문에 뒷말을 정확히 듣지 못했지만 나는 좋네요, 했다. 식당의 평평한 마당 끝에 도로가 있고, 도로 너머로 논과 밭이 펼쳐졌고, 그 뒤로 노랗고 빨갛게 단풍이 든 낮은 언덕과 높은 산들의 능선이 빙 둘러쳐져 있었다. 식당은 알록달록한 그릇 한가운데 놓인 유리구슬처럼 사방으로 단풍 든 산에 둘러싸인 야트막한 평지에 자리잡고 있었다.

주위를 둘러볼수록 나는 이상한 기분에 사로잡혔다. 언젠가 와본 적이 있는 곳 같았다. 그게 언제인지, 얼마나 오래전이었는지는 기억나지 않았다. 어쩌면 오래전에 꾼 꿈속의 장소가 아닐까 싶었지만 나는 그렇지 않다는 걸 알고 있었다. 몸속 깊은 곳에서 은은한 열기가 퍼져나와 얼굴을 붉게 달구었고 곧 무슨 일이 벌어질 것처럼 심장이 쿵쿵 뛰었다. 알 수 없는 혼란의 전조가 느껴졌다.

풍경만이 낯익은 게 아니었다. 언젠가 내가 가을 햇살을 받아 하얗게 빛나는 저 마당 한가운데 홀로 서 있었던 것 같기도 했고, 아니면 그렇게 마당 한가운데 홀로 서 있는 여자를 이곳에 서서 지켜보고 있었던 것 같기도 했다. 어느 게 과연 나였던가. 그녀가 나였던가, 내가 나였던가. 또…… 누군가 내 옆에 있다가 갑자기 손가락을 들어 어딘가를 가리켰다.

저기……

저기 어디?

손가락이 가리킨 곳에 펌프가 있었고 물이 고인 펌프 아래에서 무언가 꼬물거리는 것 같았다. 나는 눈을 가늘게 뜨고 마당 울타리 중간에 놓인 펌프를 가만히 노려보았다. 이제는 쓰지 않는지 펌프는 잔뜩 녹이 슬었고 그 아래 바짝 마른 땅에는 아무것도 없었다. 크고 작은 부분들이 미묘하게 달라져 있었지만 장소와 지형은 오래전 그때 그곳과 완전히 겹쳐졌다. 삼십 년도 넘은, 거의 사십 년 전 대학원에 다니던 시절 나는 경서와 이곳에 온 적이 있었다.

아, 나는 그 시절을 까맣게 잊고 있었다.

나는 그동안 대학원생 시절을 까맣게 잊고 살았다. 고작 일 년

밖에 다니지 않았고 그 시기에 기억할 만한 큰 사건은 일어나지 않았기 때문이다. 지금 돌이켜봐도 대학에 입학한 직후부터 시작된 혼란과 방황에 비하면, 그리고 대학원 일 년을 마치고 난 겨울방학에 우리 가족에게 벌어진 일들에 비하면 그 일 년은 내 인생에서 가장 평온했던 시기라고 할 수 있었다. 그나마 기억에 남는 일이라고는 경서와 만났다 헤어진 정도인데, 나는 그게 그렇게 특별한 연애라고 생각하지 않았다. 연애라고 할 수 있을까 싶을 만큼 애매한 연애였다. 어쩌면 그래서 더 특별할 수는 있겠지만, 나는 동생 부부와 숲속 식당에 다녀오기 전까지 그 연애의 특별함에 대해서는 한 번도 생각해본 적이 없다.

대학원생 시절, 고작 스물네 살일 뿐인데 왜 그랬는지 알 수 없지만 나는 세상을 다 산 듯한 꼴로 살았다. 어느 순간 결심만 하면 삶을 중단시킬 수 있다고 믿었고, 굳이 서둘러 그렇게 하지 않아도 조만간 세계에 어떤 파국이 와서 내 삶을 끝내주리라고 생각했다. 죽음을 가깝게 느꼈고 미래를 생각하는 일에 죄의식을 느꼈다. 내가 무엇이 될지, 무엇이 되고 싶은지 생각하지 않았다. 미래를 생각하지 않고 사는 일은 마치 몸이 뒤집힌 채 거꾸로 치달려가는 느낌이었는데 그러다보면 결국 최악의 과녁에 정통으로 박히리라는 느낌, 그러면 끝장이라는 시원하고 원통한 예감만 들었다. 아무도 묻지 않았지만 혹시라도 누군가 내게 왜 그런 꼴로 사느냐고 물었다면 나는 아무 대답도 하지 못했을 것이다. 왜 그런지 이유를 알았다면 나도 그렇게 속수무책이었을 리가 없다. 내 머릿속은 그냥 그러니까 그런 거고, 그런 식이니까 그런 식이라는, 생생한 색채를 잃어버린 덧없는 그림자 같은 기운들로 가득했다.

당시의 나는 그런 모호하고 어두운 기운을 가만히 품고 있기만 했던 게 아니라, 스스로에게도 타인에게도 있는 그대로 때로는 더 과장해서 드러내곤 했다. 스물넷이었으니까, 위험한 무엇을 가만히 갖고 있는 것으로는 안 되고 그걸 어떻게든 뱉어내거나 발산하지 않으면 견딜 수 없는 나이였으니까. 그 내용이나 표현이 기괴하고 언짢아서 누구에게도 제대로 가닿지 못하리란 걸 알 수도 없고 신경도 못 쓰는 나이였으니까.

아니, 완전히 그렇지는 않았을 것이다. 내가 그렇게까지 아무것도 알지 못하고 누구에게도 신경쓰지 않는 초연한 괴짜는 아니었을 것이다. 어쩌면 마음 한구석에서는 그림자와 유령으로 가득한 세계에서 빠져나가고 싶어 발버둥을 쳤을 것이다. 하지만 어느 시점까지는 나도 내 마음의 삭막한 기운을 어떻게 해볼 수가 없었던 것 같다. 그런 삶의 방식이 얼마나 진심에 가까웠는지 지금의 나로서는 판단할 수 없다. 진심이면 어떻고 포즈였으면 어쩔 것인가. 중요한 건 그 당시의 내가 시시각각 이상한 불안과 충동에 시달렸으며 그로 인해 실제로 고통스러워했다는 사실이다.

그러는 와중에도, 아니 그렇기 때문에 더 나는 하루하루의 삶에

탐욕스러울 만큼 집착했다. 나의 하루는 정신없이 바쁘고 촘촘하고 변덕스럽고 공허했다. 나는 자주 다쳤고 누군가를 공격하거나 누군가에게 모욕당했으며 전혀 모르는 사람들과 어울리다 어처구니없는 일을 당하기도 했다. 특히 술에 취해서 좋지 않은 일을 당할 때가 많았는데 술에서 깨고 나면 내가 당한 일을 떠올리고 가끔 내가 미치지 않았나 하는 생각을 할 때가 있었다. 하지만 나는 곧 잊었다. 잊으려고 했고 그러면 잊히는 듯했다. 아무 일도 아니다 생각하면 아무 일도 아니게 되는 듯했다. 내일을 생각하지 않듯 어제도 생각하지 않으려 했다. 내 손에 쥔 확실한 패는 오늘밖에 없고 그 하루를 땔감 삼아 시간을 활활 태워버리면 그만이라고 생각했다.

그런 나와 달리, 라고 말하긴 그렇고, 도무지 나에 비할 바가 아니었지만, 경서는 대학원 동기들 중에 가장 철이 든 축에 속했다. 그는 미래의 연구자가 되기 위한 과정을 착실히 밟아나가고 있었고 그 모습은 교수들의 인정과 동기들의 존중을 받기에 충분했다. 경서는 하루도 빠짐없이 오전 아홉시쯤 연구실에 나가 끈기 있게 자료를 읽거나 이론서를 공부했고, 월수금 화목토 요일별로 정해놓고 늦은 오후나 저녁에 외국어를 배우러 다니거나 스터디 그룹에 참여했다. 물론 나는 당시엔 이런 사실을 알지도 못했고 알았더라도 그게 뭐 어쨌다는 거냐고 생각했을 것이다. 경서와 나는 학부 때도 그랬듯이 대학원에서도 친밀한 관계를 맺는 사람들의 그룹이 달랐고 교내외를 불문하고 겹치는 동선이 거의 없었다. 그 당시의 우리는 서로가 가장 멀다고 생각되는 곳, 가장 대척적인 별자리에 존재하고 있었다.

경서와 내가 처음 대화를 나눈 건 5월 어느 날 도서관 통로에서였다. 육층짜리 도서관 건물은 비탈진 땅에 지어진 까닭에 거대한 반지하 건물이나 다름없었다. 일층부터 삼층까지의 정면은 남향으로 빛이 들어오는 창이 있었지만 북쪽 벽은 지하였다. 사층은 필로티 구조로 터널처럼 뚫려 있었고, 오층과 육층은 역시 정면으로는 빛이 들었지만 뒤는 어둡고 축축한 땅이었다. 언덕에 반쯤 처박힌 거대한 사각형 블록 중간에 사각 빨대로 뚫어놓은 통로가 있는 셈이었다. 사층 통로는 공항고속도로처럼 시원하게 뚫려 있었고 고속도로의 방벽처럼 양쪽에 투박하고 못생긴 시멘트 방벽이 세워져 있었다. 방벽 아래의 넓고 평평한 안전 턱은 도서관에서 공부하던 학생들이 잠깐 나와 앉아 휴식을 취하거나 담소를 나누기 적당한, 육중하고 서늘한 벤치 역할을 했다. 그래서 도서관 통로를 지나가는 사람들은 누구나 양쪽 안전 턱에 도열하여 앉은 고시생과 취준생, 느긋한 대학원생과 호기심 많은 신입생 들의 눈요깃감이 되지 않을 수 없었다.

그날 오후에 내가 무슨 일로 그 통로를 지나가고 있었는지는 기억나지 않는다. 확신하건대 도서관과는 관련없는 일이었을 것이다. 그늘져 서늘한 통로를 지나다 누군가 내 이름을 부르는 소리를 듣고 걸음을 멈추었다. 그때 나는 다리를 절름거리며 천천히 걷고 있었는데 만약 그러지 않았다면 청력이 좋지 않은 내가 그토록 웅웅거리는 소음으로 가득한 통로를 지나가며 나를 부르는 소리를 알아들었을 리가 없다. 때마침 급한 일도 없었는지 나는 멈춰 서서 주위를 찬찬히 둘러보았다.

통로 안전 턱에 앉아 나를 향해 손을 흔드는 사람은 예전에 술자리에서 몇 번 마주친 적이 있는 구선배였다. 아는 사람은 맞지만 좀 애매한 친분이었고 그에게 일행들도 있었기에 나도 그저 손만 흔들고 지나가려 했다. 그러자 구선배가 이리 와보라고 외치며 추임새를 넣듯 어서, 어서, 하는 식의 팔짓을 했다. 나는 그의 일행들을 향해 절름절름 걸어갔다. 구선배 왼편에는 경서가, 오른편에는 승희가 앉아 있었다. 둘 다 소원한 관계인 건 마찬가지였지만 그래도 여자 동기인 승희가 편하게 생각돼 그 옆에 앉으려는데 갑자기 경서가 훌쩍 일어나 옆으로 비켜앉으며 자리를 만들어주는 바람에 나는 본의 아니게 경서와 구선배 사이에 끼여앉게 되었다. 내가 앉자마자 경서가 담배를 내밀며 피우겠느냐고 물었고 나는 나도 있다고 말했다. 그게 우리가 나눈 첫 대화였다.

피울래……

나도 있……

내가 가방에서 꺼낸 담배를 본 구선배가 왜 이런 담배를 피우는 거냐고 했고 나는 많이 피우니까 싼 걸 피워야 한다고 했다. 내가 담배에 불을 붙여 한 모금 내뿜고 또 한 모금 내뿜었을 때 경서가 또 말을 걸었다.

근데 다리가 왜……

그제야 구선배도 그러게 왜 절름대고 다녀, 했고 승희도 몸을 내밀며 다리를 다쳤느냐고 물었다. 나는 담배를 피우며 아, 이게 있잖아요, 이게 말이지, 하고 이쪽저쪽 경서와 구선배와 승희를 번갈아 보며 사흘 전 학생회 출범 기념 체육대회에서 있었던 작은 사고에 대해 이야기했다. 스크럼 깨부수기 종목에 참가했다가 넘어져 밑에 깔렸는데 웬 남학생이 허공에서 날아와 머리로 내 종아리를 들이받는 바람에 근육이 뭉쳤다고, 종아리 뒷부분이 시커멓게 죽었는데 의사 말로는 멍이 다 풀리는 데 한 달쯤 걸릴 거라고 했다고, 다행히 뼈에는 이상이 없어 깁스는 안 했는데 근육이 굳고 당겨서 잘 디뎌지지 않아 자꾸 절게 된다고 했다.

얘기를 듣고 난 구선배가 미치겠네, 하더니 그 머스마 놈 대가리는 괜찮냐고 물었고 경서가 큭 웃었다. 그 웃음에서 나는 구선배가 아닌 나를 향한, 내가 한 이야기에 대한 경서의 호감을 감지했다. 그래서 나는 더욱 경서를 보지 않으려고 애쓰면서, 그 머스마는 국사과 놈인데 머리가 워낙 단단해 땅에 박았어도 아무 문제가 없을 판인데 하필 내 종아리가 쿠션 역할까지 해줘서 더 아무 문제가 없는 것 같더라고 말했다. 구선배가 국사과 놈들이 머리가

214

돌이긴 하지, 그냥 돌도 아니라 차돌 수준이니까, 하며 웃었고 승희도 따라 웃었다. 그러나 이번에는 경서가 웃지 않았다. 흘깃 보니 그는 아주 골똘한 생각에 잠겨 있었다. 조금 전에 내가 감지한 호감 같은 건 전혀 찾아볼 수 없고 자신만의 상념에 완전히 빠져든 얼굴이었다. 그 순간 나는 스스로도 알 수 없는 구슬픈 패배감에 휩싸였는데 왜 그런 느낌이 드는지 도무지 알 수 없었다. 하지만 나는 이내 슬픈 감정에서 빠져나와 속으로 코웃음을 치며, 내가 왜 친하지도 않은 사람들과 앉아 시간 낭비를 하고 있느냐고, 어디로든 한시바삐 가야겠다고 생각하고 엄지로 불똥을 탁 튕겨 담배를 껐다. 그때 놀랍게도 경서가 낮은 소리로 노래를 흥얼거리기 시작했다.

내 머릿속으로 차돌멩이로

슬픈 노래 부르지 마라

나도 어느새 경서의 노래를 따라 부르고 있었다. 심지어 그가 가사를 모르는 부분에선 혼자 부르기도 했다. 노래가 3절까지 완벽하게 끝났을 때 구선배가 뭐 이런 빌어먹을 노래를 끝까지 다 부르고 난리냐며 술이나 먹으러 가자고 했다. 승희가 좋아요, 하고 일어났다. 경서도 좋죠, 하고 일어나더니, 같이 가도 되는지 빠져줘야 하는지 몰라 멀뚱멀뚱 앉아 있는 내게 기묘한 손짓을 했다. 다리가 불편한 숙녀에게 춤이라도 권하는 듯한, 우아하고 장난스런 초대의 손짓을.

요즘도 나는 젊은 날 도대체 왜 이런 노래들만 부르고 살았을까 싶은, 그러나 하도 불러 아직도 가사를 완벽하게 외우고 있는 노래들을 이따금 불러보곤 한다. 내 머릿속으로 차돌멩이로 슬픈 노래 부르지 마라…… 한 사람이 죽으려고 태어난 것 같다 산산이 부서져라…… 이런 노래를 경서가 알고 있을 줄은, 그래서 국사과 머스마의 차돌 수준의 머리 얘기를 듣고 가사의 첫 부분을 골똘히 생각하고 있을 줄은, 당시의 나는 꿈에도 몰랐다.

그날 이후로 경서는 수업시간이면 뒷자리에 앉은 나를 찾아와 같이 담배를 피우자거나 커피를 마시자거나 점심을 먹으러 가자거나 했고 그러다 술도 마시자고 했다. 둘이, 하고 물으니 구선배 부를까, 했고 떠들썩한 것을 좋아하는 내가 부르자, 했다. 구선배는 승희를 대동하고 나타났고 그렇게 우리 넷은 자주 술을 마시러 다녔다.

둘이 있을 때나 넷이 모인 술자리에서나 경서는 한결같았다. 그는 자신이 하루하루 부지런히 축적한 이론적 틀과 용어로 다양한 문화 현상이나 예술작품을 새롭게 해석하고 설명하는 걸 좋아했다. 술에 취해 듣다보면 그의 말은 능란한 주술사가 읊어대는 심란한 주문처럼 들렸다. 제대로 알아듣지 못해 괴롭긴 했지만 그렇다고 내가 경서의 말이나 대화의 주제들을 폄하하거나 경멸한 적은 없다. 차마 승희처럼 대놓고 흠모하고 존경까지는 못했어도 책을 영 읽지 않는 나도 어렴풋이는 경서가 하는 말이 첨단의 문화 이론에 기초한 것이라는 걸 알고 있었다. 하지만 기껏 용기를 내어 '코드화된 시선'이 뭐냐고 물었다가 경서가 '약호화된 시선'이라고 말하는 바람에 더는 뭐라고 물어볼 의지를 상실하고 말았다. 경서는 자기과시를 위해 떠드는 사람들과 달리 진심으로 세상의 모든 텍스트들을 정교하게 읽고 분석하는 걸 즐기는 사람처럼 보였고, 자신이 읽고 분석해낸 것들이 얼마나 타당한지 타인들에게 검증받고 비판받기를, 그런 과정을 통해 더 정교해지기를 바랐다. 드물지만 때로 자신의 해석이 깊고 정확한 공감을 얻을 때면 경서는 어린애처럼 입을 크게 벌리고 기뻐했다. 물론 나는 그런 의미에서 그를 웃게 만들 수는 없었지만 다른 방식으로는 가끔 가능했다.

어느 날 경서가 내게 너 좋아하는 국수를 먹으러 가자며 캠퍼스 안에서 가장 먼 곳에 외따로 떨어져 있는 식당에 데려가려 한 적이 있었다. 나는 교내에 그런 식당이 있는 줄도 몰랐다. 경서도 얼마 전에 지도교수를 따라갔다 처음 알게 된 식당이라고 했다. 원래는 교수들 차를 운전하는 기사들이 주로 이용하던 허름한 휴게소 같은 곳이었는데 국수를 잘한다고 소문이 나서 이제는 교수들이 가는 어엿한 식당으로 탈바꿈했다고 했다. 경서는 내가 전날 발톱을 너무 짧게 깎았더니 신발이 닿을 때마다 거슬려서 아프다고 말한 건 까맣게 잊고 오직 내게 맛있는 국수를 먹이겠다는 일념으로 교정 위쪽으로 하염없이 올라가더니 하늘까지 닿을 기세로 뻗쳐 있는 계단 앞에서 저기만 다 올라가면 식당이라고 했다. 그때 모든 인내심이 바닥난 내가, 국수고 나발이고 내가 지금 이 계단을 어떻게 올라가냐고, 내가 지금 발톱이 빠질 것 같다고, 아까 내가 발톱 얘기할 때 뭘 들은 거냐고 울먹이며 분개했을 때 경서가 갑자기 웃음을 터뜨렸던 게 기억난다. 마치 자신의 독창적인 문제 제기가 깊고 정확한 공감을 얻었을 때처럼 어린애같이 입을 크게 벌리고 말이다. 어리둥절한 내가 왜, 왜 웃느냐고 물었더니 그는 여전히 웃으면서 너는 참 이상하게 웃긴다고, 갑자기 네 속에서 이상한 게 발사되는 것 같다고 했다.

그건 무엇이었을까. 내 속에서 예기치 않은 순간에 발사된 것은.

지금의 내 생각에 그건 아마 당시에 내가 가지고 있던 어두운 정념과 그럼에도 불구하고 스물네 살의 삶이 품을 수밖에 없던 경쾌한 반짝임 사이에서 빚어진 어떤 비틀림 같은 것, 그 와중에 발사되는 우스꽝스러움이 아니었을까 싶다. 나는 어지간한 고통에는 어리광이 없는 대신 소소한 통증에는 뒤집힌 풍뎅이처럼 격렬하게 바르작거렸다. 턱없이 무거운 머리를 가느다란 목으로 지탱하는 듯한 그런 기형적인 삶의 고갯짓이 자아내는 경련적인 유머가 때때로 내 삶에서 나도 모르는 사이에 발사된 건 아니었을까.

지금 나는 내 어두운 청춘의 한 시절에서 경서가 발견해 건져내

준 유머 몇 조각이, 그 연약한 의미의 빛이 애틋해 미소를 짓지만 당시의 나는 그렇지 않았다. 경서는 내게 특별한 감정을 드러내지 않고 편하게 대했다. 구선배나 승희를 대하는 것과 크게 다르지 않았다. 아무것도 강요하지 않았고 내 삶의 방식에 대해 가타부타 말하지 않았다. 하지만 시간이 지날수록 나는 그를 대하는 게 썩 편하지만은 않았다. 나는 그의 눈빛, 그의 경청에서 그가 나를 흥미진진하게 읽고 해석하려 한다는 느낌을 받았고 서서히 두려움에 사로잡혔다. 한편으로는 혹시 그가 내 내부에서 치명적인 진실들을 캐낼까 두려웠고 다른 한편으로는 그가 내게서 아무것도 캐내지 못할까 두려웠다. 그 둘은 아마 동전의 양면 같은 것이었을 것이다. 그러나 무엇보다 두려웠던 건 내가 그를, 경서라는 인간을 도저히 읽어내지 못하리라는 절망감이었다.

내 속엔 그를 해석할 능력도 의지도 욕망도 없었다. 내 속엔 경서를 향한 아무것도 없었다. 경서가 아닌 다른 누구를 향한 것도 없었다. 나는 스스로 내 내부에 아무것도 없다는 걸 잘 알고 있었다. 그 당시의 나는 감정적으로 완전히 폐허였고 욕망이 소진된 폐광이었다. 그런데도 나는 그냥 그러니까 그런 거고, 그런 식이니까 그런 식이라며 흘러가는 대로 내버려두었다. 이건 좀 이상한데, 뭔가 문제가 있는데, 라고 느끼면서도 꺼떡꺼떡 경서가 만나자면 만났고 그에게 내 주변에서 일어난 일들이나 만난 사람들 얘기를 있는 대로 털어놓곤 했다. 내가 굳이 뭔가를 결정하지 않아도 어차피 어떤 파국이 와서 끝내줄 테니까 뭐, 그런 식이었다.

2

동생과 제부는 보리비빔밥을, 나는 잔치국수를 시켰다. 나물 반찬과 도토리묵이 나오자 제부가 한잔하실래요, 물었고 나는 좋다고 했다. 소주를 마시면서 나는 오래전 이곳이 어떤 모습이었는지, 그때 여기서 경서와 무엇을 먹었는지 떠올리려 했지만 기억나지 않았다. 그때도 국수를 먹으며 소주를 마셨던가. 당시에는 이 식당이 지금처럼 세련된 돔형의 유리 건물이 아니라 거무죽죽한 천으로 둘러쳐진 가건물이었던 것 같은데 그 외관이나 내부가 상세히 기억나지 않았다. 경서와 나 이외에 누군가 더 있었는데, 아마 구선배와 승희였을 테지만 그들의 존재감도 가물가물했다.

하지만 그 당시에 본 몇 가지 장면들은 놀랄 만큼 선명해서, 국수를 먹다 문득 몸을 돌려 유리벽 너머 앞마당을 바라보면 정확히 그때의 풍경과 상황이 코앞에 펼쳐진 듯 생생히 떠올랐다. 왼편 시든 옥수숫대가 있는 밭두둑 가장자리에 노란 플라스틱 과일 상자가 놓여 있고 그 안에서 가늘고 긴 낑낑거림이 환청처럼 들려온다. 어디서 나타났는지 기괴한 차림새의 여자가 꾸물꾸물 돌아다니며 무엇을 찾고 있다. 누군가 손가락을 곧게 뻗어 펌프 쪽을 가리킨다. 펌프 아래 흰 강아지 한 마리가 젖은 땅에 코를 댄 채 바르르 떨고 있다. 나는 양손을 으스러지게 쥐고 꿈에서처럼 속으로만 목이 터지라 외친다. 도망쳐! 가! 어디로든 가버려!

식사를 마친 후 제부가 한 대 피우실래요, 하길래 나는 그럽시다, 했다. 우리는 식당 왼편 옥수숫대 근처에서 담배를 피웠다. 어디선가 물 흐르는 소리가 들려왔는데 아마 언덕 너머에 작은 시내가 있나보았다. 동생이 계산을 마치고 우리 쪽으로 오면서 어머, 여기 너무 싸다, 했고 제부가 그렇다니까, 했다. 동생이 걸어오다 말고 왜 해가 비치는 데서 그러고들 있느냐고, 이쪽으로 오라고 했을 때 나는 보기도 전에 이미 그곳에 누런 잎을 매단, 잿빛 기둥처럼 곧게 뻗은 나무들이 빽빽이 서 있으리란 걸 알았다. 제부와 나는 그쪽으로 가 그늘진 나무 아래에서 담배를 마저 피웠다. 이 근처 어딘가 오래전 내가 붙들고 토한 나무가 있을 것이었다.

우리는 소화도 시킬 겸 산책 삼아 나무들 사이를 거닐었고 걷는 동안 가늘게 흘러내리는 물소리가 점점 분명해지는 걸 느낄 수 있었다. 작은 언덕을 넘어가자 역시 산에서 흘러내린 물줄기가 평평하고 우묵한 곳에 고여 커다란 웅덩이를 만들어놓았다. 웅덩이 근처에 날벌레가 너무 많아 우리는 턱밑으로 내려놓았던 마스크를 썼다. 날벌레가 많은 만큼 주변 나무 곳곳에는 거미들이 쳐놓은 거미줄로 빈틈이 없었다. 햇빛이 비치는 곳에 쳐진 거미줄은 은빛으로 허공을 예리하게 가르며 마치 나뭇가지들 사이를 잇는 얇은 은막처럼, 투명한 물갈퀴처럼 보였다. 그늘에 드리운 오래된 거미줄에는 자디잔 벌레들이 점점이 검게 굳어 있고 누런 고치들이 매달려 너풀거렸다. 드문드문 수놓은 무늬처럼 비틀린 채 말라가는 붉은 고추잠자리들도 보였다. 나는 햇빛에 비친 은빛 베일과 그늘진 곳의 삼베 같은 거미줄을 보며 결혼과 죽음에 대해 생각했다. 누군가는 저렇게 빛나는 베일을 쓰고 결혼을 하고 누군가는 저토록 날긋한 삼베를 수의처럼 덮고 죽는지도 모르지. 아니, 어쩌면 그 여자는…… 결혼할 때조차 저 삼베 거미줄을 쓰고 했는지도 모르지. 어쩌면 나도……

뭐라고? 동생의 말에 놀란 나는 어어, 했다. 동생이 혼자 뭐라는 거냐고 물었고 나는 내가 뭐라고 했느냐고, 늙어서 그런가보다고 했다. 제부가 이만 갈까요, 차 막히기 전에, 했고 우리는 그 웅덩이를, 숲속 식당을 떠났다. 차를 타면서 동생이 다음에 또 오자고 했다.

그때 경서도 그랬다. 또 오자, 겨울 되면.

그 가을 우리 넷이 소풍 삼아 숲속 식당을 찾아갔던 날을 찬찬히 떠올려본다. 아마 구선배가 어디선가 그 식당을 알아내와서 가자고 했던 것 같다. 오전에 시외버스 터미널에서 만나 버스를 타고 한 시간쯤 가서 거의 종점에서 내려 따가운 햇빛을 받으며 꽤 걸었던 것 같다. 식당에 도착하자마자 우리는 앞마당 펌프에서 펌프질을 해 세수를 하고 햇볕에 얼굴을 말리며 담배를 피웠다. 주변을 빙 두른 산을 바라보며 구선배가 아 좋다, 했고 내가 겨울에 눈 와도 좋겠다고 하자 경서가 나를 보며 또 오자, 겨울 되면, 했다. 왼편에 시든 옥수숫대가 있는 밭두둑이 있었고, 밭두둑 가장자리엔 목줄에 묶인 개 두 마리가, 왜 저렇게까지 짧은 줄로 묶어놓았을까 싶을 만큼 바투 묶여, 힘없는 염소 조각상처럼 서 있었다.

승희는 밭둑 아래에 놓인 노란 플라스틱 상자 앞에 쪼그려앉아 있었다. 상자 위에 벽돌이 얹힌 널이 덮여 있어 승희는 거의 엎드리다시피 하여 상자 틈으로 안을 들여다보려 애쓰고 있었다. 상자 안에서 낑낑거리는 소리가 들려왔다. 뭐냐고 내가 묻자 승희가 강아지야, 했다. 그쪽으로 가 승희처럼 몸을 낮추고 안을 들여다보니 상자의 뚫린 틈으로 희끗희끗한 털들이 보였다. 몇 마리인지 알아볼 수 없는 강아지들이 꼬물거리며 끼잉 끼잉 울어대고 있었다.

내가 담배를 피우던 자리로 돌아왔을 때 구선배와 경서는 식당 안으로 들어가고 없었다. 곧 승희도 상자 앞에서 일어나 안으로 들어갔지만 나는 잠시 그 자리에 서 있었다. 상자 안에서 계속 끼잉 끼잉 하는 소리가 들려왔다. 그 소리는 연약하지만 처절한 고통을 담고 있어 들으면 들을수록 막 태어난 생명체가 아니라 곧 죽어갈 생명체가 내는 소리처럼 들렸다. 대낮에 이런 소리를 듣다니 오늘도 취하고 말지 생각하는데 갑자기 자지러지듯 깽 깨애앵

하는 소리가 들렸다. 상자 쪽을 돌아보니 주먹만한 강아지 몇 마리가 흙바닥에서 비실비실 일어나고 있었다. 어디서 나타났는지 모를 작고 마른 도깨비 같은 여자가 상자를 뒤엎는 바람에 바닥에 내동댕이쳐진 강아지들이 놀라 비명을 지른 것이었다.

여자는 상자 바닥에 깔려 있던 두꺼운 깔개를 끄집어내 땅바닥에 털었는데 깔개는 강아지들의 분뇨로 차마 보기 역겨울 정도로 더러웠다. 여자는 개의치 않고 맨손으로 아무 데나 움켜잡고 털었다. 터는 동작이 굼뜨고 엉성한 게 깔개가 무거워서인지 팔이 불편해서인지 알 수 없었다. 털었다고 전혀 나아지지 않은 깔개를 여자는 다시 상자에 깔고 주변에서 우왕좌왕하는 강아지 중 한 마리를 아무렇게나 잡히는 대로 움켜잡아 상자 안에 던져 넣었다. 깨갱깨갱 소리가 났다. 그다음 강아지도, 그다음 강아지도 등이건 꼬리건 뒷덜미건 잡아채서 바구니 안으로 힘껏, 나는 정말 그녀가 없는 힘을 다 짜내어 있는 힘껏 던진다는 느낌을 받았는데, 그렇게 작은 강아지들을 그렇게 폭력적으로 던져 넣는 이유를 도무지 알 수 없었다. 여자가 가느다란 목을 돌려 주위를 두리번거렸다. 뭔가 더 있어야 하는 모양이었다.

나는 천천히 주머니에서 담배를 꺼내 새 담배에 불을 붙였다. 앞마당 울타리 밑을 스름스름 뛰어가는 작고 흰 물체가 보였다. 나는 그게 여자가 찾는 대상임을 알아보았다. 마르고 더러운, 털이 반 이상 빠져 쥐꼬리처럼 보이는 꼬리를 가진, 쥐보다 조금 큰 강아지였다. 강아지는 그나마 그늘이 지고 물기가 있는 펌프 근처에서 멈추더니 작은 웅덩이에 고인 물을 핥아먹었다.

이 새끼…… 어딜……

어디론가 팔짝팔짝 뛰어갈 듯하던 강아지가 여자의 중얼거림에 주문이라도 걸린 듯 그대로 멈춰 섰다. 여자가 나를 보았다. 여자의 작고 주름진 얼굴은 햇볕에 그을려 진한 갈색이었고 표정이 없었다. 머리칼은 이상하리만큼 까만데 숱이 적고 군데군데 뜯긴 듯 헐어 대충 빗어 찐 쪽이 호두만했다. 보면서도 나는 여자의 나이를 도저히 가늠할 수 없었는데, 나보다 고작 몇 살 더 많다고 해도, 마흔이 넘었다고 해도, 설사 환갑이라 해도 그럴 법했다.

어딜, 갔어……

여자가 내게 묻듯 중얼거렸다. 나는 펌프 쪽을 보지 않으려고 반대쪽 능선으로 고개를 돌렸다. 여자는 어딘가를 향해 휘뚝휘뚝 걸어갔다.

죽여, 버릴까…… 죽여, 버릴까……

여자의 목에서 끊어 말한다기보다 끊어 짖는 듯한 쉰 소리가 튀어나왔다. 여자는 햇빛이 하얗게 내리는 마당에 서서 눈이 부신 듯 손을 들어 이마를 가리고 사방을 둘러보았다. 여자는 알록달록한 무늬의 스웨터에 헐렁한 붉은 바지를 입었는데 바지 밑단은 까만 장화 속에 들어가 있었다. 여자의 눈길이 마당 이쪽저쪽을 향할 때마다 나는 긴장했다. 담배를 쥔 손이 오그라들었다. 가, 멀리

가버려, 도망쳐, 제발. 나는 속으로 간절하게 속삭였다. 그러나 어디로 간단 말인가. 자신에게 아무 희망이 없다는 걸 아는지 강아지는 물이끼가 긴 펌프 옆에서 여자를 향한 채 꼼짝 않고 있었다. 여자의 존재만으로 그 자리에 붙박여버린 듯했다. 그러나 강아지의 그런 꼼짝 못함 때문에 무언가 움직임을 포착하려는 여자의 눈은 더 강아지를 발견하지 못하는 듯했다.

어딜, 갔어…… 이 새끼…… 어딜, 갔어……

나는 알고 있었다. 갈색 피부에 덧씌워진 붉은 기운으로 얼룩덜룩한 얼굴, 초점이 잡히지 않는 눈, 혀와 목을 눌러 짜내는 어눌하고 찐득한 말들, 허우적대고 휘청대는 걸음. 여자는 대낮에 이미 만취해 있었다. 저 정도 취기면 절대 강아지를 찾지 못할 거라는 안도감이 들었다.

그때 깜짝 놀랄 일이 벌어졌다. 언제 내 옆에 와 있었는지 모르는 승희가 저기요, 저기, 하고 손을 뻗어 펌프 쪽을 가리켰기 때문이다. 여자는 그 말을 듣고 승희가 가리킨 쪽을 흘깃 보았다. 그때까지만 해도 여자는 확신하지 못한 듯 펌프 쪽으로 두어 걸음 떼놓다 말았다. 그러나 다가오는 여자를 보고 강아지가 겁에 질려 낑낑거리는 소리를 내는 바람에 여자는 알아차렸다. 여자는 비틀거리며 걸음을 빨리했다. 마치 춤을 추듯이.

드디어 여자가 펌프 앞에 섰고 강아지는 불안하여 앞발을 들었다 놓았다 하며 제자리에서 빙빙 돌았다. 여자는 허리를 구부려 한 손으로 강아지 뒤통수 털을 움켜 낚아챘다. 놓칠까봐 그런지 더 난폭한 기운이 서린 손길이었다. 강아지가 끼이이잉 울었다. 여자는 낚아챈 손으로 강아지를 허공에 매달아두고 서툰 복서가 펀칭볼을 갈기듯이 다른 손으로 강아지 머리를 비스듬히 후려갈겼다. 강아지의 긴 비명소리가 적막한 마당에 울려퍼지는 것과 동시에 학, 하는 승희의 짧은 비명이 들렸다. 나는 승희를 비난하듯이 돌아보았다. 그러나 승희는 그런 내 눈길엔 아랑곳없이 미간을 잔뜩 찡그린 채, 저기요, 저기, 하고 방금 전에 펌프를 가리키던 손으로 입을 틀어막고 있었다. 그렇게 입을 막은 승희의 손은, 강아지를 움켜쥔 여자가 비틀거리며 걸어와 노란 플라스틱 상자의 널 뚜껑을 열고 그 안에 강아지를 집어던질 때까지, 그래서 던져진 강아지뿐만 아니라 안에서 그와 충돌한 다른 강아지들의 비명이 합창으로 울려나올 때까지, 여자가 만족한 듯이 상자 위에 널 뚜껑을 덮고 벽돌을 얹은 후 잠시 허공 어딘가를 노려보며 서 있을 때까지, 여자가 몸을 돌려 느린 걸음으로, 우리의 관심과 시선을 다 알고 있다는 듯, 그걸 마음껏 즐기며 희롱이라도 하듯 감질나게 가다 서다 허공을 노려보다 하면서 옥수수밭 너머로 천천히 사라질 때까지, 얼굴에 그대로 달라붙은 채 내려오지 않았다.

그후에 있었던 일은 거의 기억나지 않는다. 하지만 우리가 그 식당에 밤늦게까지 머물렀던 건 분명하다. 해질 무렵 내가 어쩐

일로 직접 토하는 대신 토하는 승희의 등을 두드려주던 게 기억나고, 그다음 차례로 내가 식당 오른편에 기둥처럼 서 있는 나무등치를 붙들고 토하던 기억이 난다. 까만 어둠 속에서 내가 죽어, 버릴까…… 죽어, 버릴까…… 토막 난 말을 내뱉던 것과 경서가 내 등을 두드리며 그러지 마, 그러지 마, 달래던 기억도. 그런데 그 밤 그토록 만취한 상태에서 우리는 어떻게 오랜 시간 시외버스를 타고 집으로 돌아올 수 있었던 걸까.

취기 때문에 차에서 잠깐 잠들었나보다. 깨어보니 차는 길이 막혀 멈춰 서 있고 해는 뒤편 차창에서 지고 있었다. 깼느냐고 묻는 동생의 말에 나는 현실감을 되찾았다. 아이, 잤나보네, 했더니 제부가 더 주무시지 않고요, 하면서 하품을 했다. 차창 너머 희끄무레한 하늘을 배경으로 한 무리의 검은 새떼가 날아가고 있었다. 흐르는 잿빛 강물 위로 비스듬한 햇빛이 떨어져 반들거렸고, 언뜻 그것은 마치 도로와 평행한 또하나의 도로처럼 보이기도 했다.

대학원 시절, 내가 경서와 만난 시기는 그해 5월부터 그 가을 소풍까지였던 것 같다. 그뒤로 두어 번 더 만난 것 같은데 잘 기억나지 않는다. 종강을 하고 겨울방학이 된 후로 우리는 연락이 끊겼고 다음해 나는 대학원에 등록하지 못했다.

그해 겨울 우리 가족에게 일어난 일들에 대해서는 길게 이야기하고 싶지 않다. 아버지가 간암 판정을 받고 수술을 한 후 보름 만에 돌아가셨다. 의료사고를 의심할 만했지만 어머니는 소송을 하지 않겠다고 했다. 병원측으로부터 소를 제기하지 않겠다는 각서를 쓰고 합의금을 받은 것 같았지만 어머니는 펄쩍 뛰며 부인했다. 유산 문제를 협의하는 과정에서 나와 동생은 어머니와 오빠로부터 의절을 당하고 집에서 쫓겨나다시피 나와야 했다. 급히 짐을 싸서 지하 월세방으로 이사하면서 경서에게 돌려줘야 할 것들을 상자에 담아 우편으로 보냈던 게 기억난다. 우편물을 보낼 때 내가 아무 연락을 하지 않았듯 경서 역시 우편물을 받고도 아무 연락이 없었다.

나는 돈을 벌기 위해 지도교수의 추천으로 준공단급 기관의 홍보실에 인턴으로 들어갔고 일 년 뒤에 정직원이 되었다. 그때는 곧잘 그런 조건으로 채용이 되었다. 소송을 통해 나와 동생 몫의 유산을 받는 데 삼 년이 넘게 걸렸다. 그 돈으로 나는 작은 아파트를 샀고 동생은 제부와 결혼했다. 몇 년 뒤에 내가 다니던 기관이 정식 공단으로 승격되면서 나는 공무원 신분이 되었고 재작년에 은퇴할 때까지 삼십 년 이상 근속했다. 살면서 한두 번 결혼할 뻔한 적도 있었지만 결국은 혼자 사는 편을 택했다.

길이 좀 뚫렸는지 차가 다시 달리기 시작했다. 나는 자세를 고쳐 앉았다. 대학원 이후 우연히라도 경서를 다시 만난 적은 없다. 승희나 구선배도 만난 적이 없다. 그러니 그렇게 까맣게 잊고 살았을 것이다. 의절한 모자와도 지금껏 만난 적이 없다. 까맣게 잊고 싶은데 그들은 이상하게 쉽게 잊히지 않는다. 나는 지금의 삶에 만족하고 동생은 나를 혼자 사는 노모처럼 챙긴다.

3

자다 가끔 경련을 일으키며 깨어날 때가 있다. 누구나 자기가 한 일에 대해서는 최소한 받아들일 만한 수준으로 만들기 위해 그 처참한 비열함이라든가 차디찬 무심함을 어느 정도 가공하기 마련인데, 나 또한 그렇게 했다. 경서와 내가 멀어지게 된 데 특별한 이유나 계기는 없었다고 생각했으니까. 그 당시 내 상황이 안 좋게 흘러갔고 대학원이라는 접점이 없어지면서 우리는 자연히 멀어지게 되었다고. 하지만 어느 순간 번쩍 몇 가지 일들이 떠오르면서, 그것들이 뜻밖의 별자리를 만들면서 내 정신은 깊은 어둠과 무지에서 파르르 경련을 일으키며 깨어났다.

어느 날 아침에 눈을 뜨자 멀쩡하게 생각이 났다. 도서관 통로에서 만나 처음으로 같이 술을 마셨던 그날 경서가 수박을 샀던 일이. 5월에 수박이라니. 그렇다. 5월의 수박이었다.

경서와의 첫 술자리였던 만큼 그날의 일에 대해서는 체질하듯 기억을 거듭해서 이물질을 걸러내고 정확하다고 생각되는 부분만

230

을 남기고 싶지만, 그건 애초에 불가능하다. 1차와 2차에서 빠른 속도로 술을 마신 내가 거의 실신 지경에 이르러 대부분 잠들어 있었기 때문이다. 마지막 술집에서 어떻게 나왔는지는 모르겠지만 겨우 정신을 차렸을 때 승희가 나를 힘겹게 부축하고 있었다. 나는 눈을 뜨고 제대로 걸으려고 애쓰다 수박을 발견했다.

늦은 밤 불을 켜둔 과일가게의 가판대에 알록달록한 과일들이 쌓여 있고 그 복판에 철 이른 수박이 늠름하게 빛나고 있었다. 내가 몸을 버팅기자 승희가 왜 그래, 다리 아파, 물었고 나는 쭈박, 이라고 혀 짧은 소리를 냈다. 승희는 알아듣지 못했고 나는 계속 쭈박, 쭈박, 했다. 승희는 그 상황이 좀 당혹스러운 듯했고 그런 탓에 나를 부축하던 손길이 느슨해졌다. 그 틈을 타 나는 과일가게 쪽으로 비틀거리고 절름거리며 걸어가 수박 앞에 섰다.

쭈박…… 쭈박……

어떤 신호가 반짝 켜진 것 같았다. 거리의 어둠 속에 오롯이 불을 켜고 있던 과일가게처럼 내 안의 어둠 속에서도 징그러운 어떤 신호가 반짝 켜져 영롱하게 빛나기 시작했다. 지금은 울어도 된다고, 이 순간만은 떼를 써도 된다고 허락받은 아이처럼. 사랑에 굶주린 아이가 타인의 친절을 눈치채고 과분한 요구를 하듯이, 당신은 친절한 사람이니 이런 정도의 부탁을 들어주는 게 그리 어려운 일은 아니잖아요, 영악한 술수를 부리듯이, 나는 선 채로 흐느끼기 시작했다. 아무도 사주지 않을 거라는 마음과 그래도 누군가는, 경서는 사줄지 모른다는 마음이 반으로 쪼개져 얼굴이 수박 속처럼 달아올랐고 그 위로 눈물이 흘러내렸다.

누군가 내 옆에 섰고 나는 고개를 돌렸다. 구선배가 수박을 손 가락질하며 이게 그렇게 먹고 싶냐고 물었다. 왜 경서가 아니라 구선배인지 의아해하면서도 나는 고개를 끄덕였다. 구선배가 이 거 지금 철이 아니라 맛없다고, 비싸기만 하고 맛은 없을 거라고 했지만 나는 귀먹은 사람처럼 가만히 흐느끼기만 했다. 참다못한 과일가게 주인 남자가 끼어들어 이게 왜 맛이 없냐고, 저렇게 먹 고 싶다고 우는데 참, 하면서 여자한테 수박 하나 못 사주는 위인 같으니 하는 얼굴로 구선배를 아래위로 훑었다. 나는 울면서도 경 서가 뭐라고 할 것인지에 온 신경을 곤두세우고 있었다. 형, 제가 살게요, 하는 목소리가 들려온 순간 나는 찬란한 승리감에 휩싸였 다. 경서는 내가 눈물 젖은 감사의 눈길을 보내는 걸 알면서도 가 게 주인에게 돈을 건네고 빨간 노끈 그물에 담긴 수박을 건네받을 때까지 내 쪽을 부러 보지 않는 것 같았다. 대신 승희가 의혹에 찬 눈길로 나를 흘깃거리던 게 기억난다.

내가 그 수박을 먹은 기억은 없다. 그 비싼 수박이 어떻게 되었 는지도 모른다. 쭈박, 쭈박, 하고 울면서 내가 원한 건 무엇이었을 까. 어처구니없는 걸 요구해서 상대를 끝내 시험에 들게 해 그걸 얻어내고 말겠다는, 결국 이겨먹고 말겠다는 그 악착한 마음은 어 디서 왔을까. 그리고 선물을 헌신짝 버리듯 쉽게 잊고 그 선물을 준 사람마저 이겨먹었으니까, 먹어버리듯 이겼으니까 까맣게 잊고 마는 그 잔혹한 무심함은.

동생 부부와 숲속 식당에 다녀오기 전까지만 해도 아득한 망각의 저편에 던져두었던, 경서가 준 또다른 선물에 대해 이제 이야기할 때가 되었다. 이건 수박과는 아주 다른, 훨씬 위험한 선물이다. 나는 나만 들여다보느라 경서가 내게 준 것들에 대해 대부분 잊었지만, 이것마저 잊고 있었다는 데서는 할말이 없다.

어느 날 경서가 내게 집주소를 알려달라고, 우편으로 뭔가 보내줄 게 있다고 했다. 뭐냐고 물어도 말해주지 않았다. 며칠 뒤 집으로 덕지덕지 테이핑된 큰 박스가 도착했는데 고급스러운 선물이 아니라는 것은 낡은 박스의 꼬락서니만 봐도 충분했다. 박스를 뜯자 크기도 모양도 다른, 오래되어 나달나달한 것부터 가죽 장정의 새것까지 각종 노트들이 들어 있었다. 경서는 동봉한 편지에서 자신이 중학교 때부터 지금까지 십 년 동안 써온 일기들을 하나도 빼놓지 않고 보낸다고 적었다. 그리고 이런 모험은 평생 해본 적이 없다고, 마치 미사일의 발사 버튼을 누르는 심정인데 그 미사일이 돌아와 터질 장소는 어쩌면 자기 자신이 될지도 모르겠다고 썼다. 나는 지금에 와서야 그 편지를 쓰던 경서의 떨림을 감지할 수 있다. 그러나 당시의 나는 그저 기가 찰 따름이었고 나야말로 무슨 폭탄을 전달받은 기분이었다. 나보고 이걸 어쩌라는 거지? 설마 다 읽으라는 거야?

나는 오래된 공책 몇 권을 꺼내 중학교 때 일기를 들춰보다 포기하고 아무래도 최근 것부터 읽는 게 좋을 것 같아 최근 것들을 읽었다. 읽으면서 아니 이게 일기인가 학습장인가 싶었다. 그나마 옛날 일기들 중에는 가끔 성에 얽힌 부끄러운 상상이나 일화들이 토로되어 있었는데 최근 일기들은 사적인 기록이라고는 할 수 없을 정도로, 술자리에서 그가 떠들던 얘기들을 더 조리 있게 또는 과감할 정도로 극단까지 밀어붙인 내용들이 기록되어 있었다. 물론 과감할 정도로 극단까지 밀어붙였다는 것도 내가 스스로 알아낸 게 아니라 경서가 어떤 부분에 밑줄을 치고 이건 너무 과감할 정도로 극단적인 전개인가, 라는 메모를 해놓아 알게 된 것이었다. 나는 보다 효율적인 방식으로 읽기 위해 흥미로울 듯한 부분, 이를테면 나와 처음 술을 마신 날엔 뭐라고 써놓았나 싶어 찾아봤지만 그날의 일기는 없었고, 술을 많이 마셔서 못 썼나 싶어 다음날 일기를 보았는데 거기에도 내 얘기는 전혀 없고 그날 공부한 스케줄만 간단히 기록되어 있었다. 그뒤로 쓴 일기에도 내 얘기는 물론 구선배나 승희 얘기도 거의 없다시피 했다.

나는 실망하여 이걸 언제 다 보나, 천천히 보자, 하고 방구석에 밀어놓았다. 어느 날 경서가 내게 일기를 다 읽었느냐고, 다 읽었으면 돌려달라고 했다. 그때가 아마 학기말쯤 되었을 것이다. 그러니까 경서가 내게 일기 상자를 보낸 시기는 숲속 식당에 다녀온 직후쯤이었고, 그는 그때부터 내가 일기를 읽고 그로 인해 그에 대해 어떤 판단을 하게 될지 몰라 모종의 불안과 후회와 두려움에 휩싸여 내가 일기를 다 읽고 응답할 때까지 연락도 못하고 기다리기만 했던 것인데, 나는 학기가 다 끝날 때까지 그것을 처박아놓고 읽지 않았다. 그런데도 나는 마치 그때 서로가 바빠서 만남이 뜸했다는 둥, 그러다 종강을 하고 겨울방학이 되고 내게 이런저런 일들이 터지는 바람에 연락이 끊겼다는 식으로 기억하고 있었다.

다 읽었으면 돌려달라는 말, 그 말을 할 때의 경서의 굳은 얼굴과 쭈뼛한 말투 속에서 이제야 나는 깊은 고통과 두려움을 읽어낸다. 그러나 당시의 나는 어어, 놀라는 시늉을 하면서 그거 아직 다 안 읽었는데, 다시 돌려줘야 하는 거였느냐고 물었다. 그때 경서가 할말을 잃은 듯 나를 망연히 바라보던 얼굴을 생각하면 지금도 뼈가 저릴 듯 부끄럽다. 당시의 나는 정말 아무것도 모르는 사물, 과장된 연기만 하도록 태엽 감긴 무無였다. 잠시 뒤 그가 다 안 읽었다면, 아니 다 안 읽었어도 이제 그만 돌려달라고, 그리고 잠깐 한숨을 쉰 뒤, 내 일기를 왜 네가 가지고 있어야 한다고 생각하느냐고 물었다. 나는 아, 그래, 그렇지, 돌려줘야 하는 거였구나, 웅얼거리다 놀라 입을 다물었다. 경서가 머리끝까지 화가 났다는 걸 알았기 때문이다. 그가 내게 그렇게 무서운 얼굴을 한 적은 없었다. 그는 떨리지만 또박또박한 말투로, 그럼 너는 내가 일기를, 내가 십 년 동안 쓴 일기를 너한테 버린 걸로 알았느냐고 물었다. 나는 아니, 그건 아니고, 아무튼 알았다고, 미안하다고, 곧 돌려보내겠다고 했다. 그러나 나는 일기 상자를 곧바로 보내지 않고 두 달 넘게 갖고 있다가 다음해 2월 중순쯤 집에서 쫓겨날 때에야 아무 연락도 없이 그에게 우편으로 보냈다. 그리고 우편물을 받았을 텐데도 그가 아무 연락도 하지 않았다고, 우리는 그렇게 헤어졌다고 생각하고 있었다. 물론 그 당시 아버지가 돌아가셔서 장례를 치러야 했고 그 이후엔 어머니와 하루걸러 싸우고 대들고 울고 엎드려 비는 일들이 반복되었고, 심지어 오빠에게 얻어맞아 병원과 경찰서에 가는 일까지 벌어진 사정이 있었지만, 그런 게 내가 경서에게 한 짓의 변명이 될 수는 없다.

그 당시 내게 경서를 향한 특별한 감정과 욕망이 결여되어 있었던 건 맞다. 경서에 대한 연애 감정이나 욕망이 없었던 건 어쩔 수 없다. 문제는 내가 지키는 줄도 모르고 결사적으로 지키려 했던 무내용이다. 아무것도 없는 개미굴 같은 폐광을 절대 굴착당하지 않으려고 철통같이 지켜내려 했던 그때의 내 헛된 결사성은 그의 입장에서 볼 때 얼마나 끔찍한 모순이며 기망인가. 나는 경서를 존중하지도 예의를 지키지도 않았다. 그러니 두려웠던 것이다. 내가 그렇게 비열하고 무심한 인간이라는 걸 명민한 그가 읽어낼까봐. 내가 집요하게 수박을 원할 때 경서는 수박을 사주는 대신 등을 돌리고 모른 척했어야 했다. 하지만 그도 짐작은 하고 있었을 것이다. 수박을 사준 데 대한 내 감사의 눈길을 그렇게 한사코 피

했던 건 어쩌면 잘못 엮인 노끈처럼 나와 엮이는 것이 그도 무섭고 불안해서였을 것이다.

눈을 감으면 환영처럼 떠오르는 장면이 있다.

가을 햇살이 하얗게 내리는 마당 한복판에 여자가 서 있다. 이마에 흘러내린 가느다란 머리카락 몇 올이 바람에 날리자 여자는 손을 들어 거칠게 이마를 훑는다. 빛 아래 단풍 같은 옷차림에도 여자는 누가 오랫동안 창고에 넣어두었다 꺼내놓은 기묘한 인형처럼 빛바랬다. 발밑에 드리운 짧고 짙은 그림자 때문에 그녀는 더 스페셜한 오브제처럼 보인다.

여자를 둘러싼 찬란한 햇빛이 공중에 은빛 거미줄처럼 반짝인다. 하지만 서서히 어둠이 내리고 잿빛 음영이 드리우면 빛나던 베일은 수의처럼 뻣뻣해진다. 생명의 어두운 결정체들이 점점이 박히고 누런 고치들이 매달려 흔들리는 검은 그물은 그녀 자신이 내뿜었지만 이미 그녀 자신을 가두는 거대한 망이 된다. 이윽고 그녀 스스로 고치가 되고 캄캄한 밤이 그녀를 덮는다.

내가 여자를 잊지 못하는 건, 여자의 환영을 꿈에서도 보는 건 내 속의 무엇을 그녀가 여전히 쥐고 흔들기 때문이다. 젊은 날 숲속 식당에서 여자를 처음 보았을 때 내가 느낀 감정은 결코 혐오나 분노가 아니었다. 오히려 연민과 공감에 가까웠다. 꼬리털이 반 넘게 벗겨진, 여자의 존재만으로도 꼼짝 못하고 여자가 휘두르는 폭력의 자장 안에서 벌벌 떠는 강아지는 나의 과거 같았고, 머리숱이 적고 군데군데 뽑힌 듯한 헌 자국이 있는 술 취한 여자는 나의 미래 같았다. 나는 여자가 될 것이고, 지나온 삶만큼이나 살아갈 여생도 끔찍할 것이다. 사는 내내 나와 유사한 행로를 살아갈 누군가의 기억 속에 섬뜩한 이미지로 출몰하면서, 그렇게 삶에서 오래 겉돌다, 날파리떼가 달라붙은 거미줄 같은 수의를 입고 홀로 죽게 될 것이다. 여자를 본 순간 나는 미래를 기억하는 듯한 착란에 사로잡혔고 죽음보다 더한 공포를 느꼈다.

죽어, 버릴까…… 죽어, 버릴까……

나는 여자의 말투를 흉내낸 게 아니라 내 속에 오랫동안 고여 있던 가래 같은 말을 내뱉은 것이다. 학대의 사슬 속에는 죽여버릴까와 죽어버릴까밖에 없다. 학대당한 자가 더 약한 존재에게 학대를 갚는 그 사슬을 끊으려면 단지 모음 하나만 바꾸면 된다. 비록 그것이 생사를 가르는 모음이라 해도.

경서에게 일기 상자를 돌려보낼 때 그에게서 받은 모든 것을 담아 보내서 내게는 경서와 관련된 어떤 것도 남아 있지 않다고 생각했는데 그게 아니었다. 경서의 편지가 기억난 건 동생 부부와 숲속 식당에 다녀온 지 한 달쯤 지난 어느 날, 저녁 뉴스를 보면서였다. 코로나로 연기된 수능이 12월 3일에 실시된다는 뉴스였는데 화면에 뜬 1 2 3이란 숫자를 보고 나는 날짜를 외우기는 좋겠다고 생각했다. 그 순간 하나 둘 셋, 왈츠, 그런 말이 쓰여 있던 경서의 편지가 생각났다.

스물다섯 살 2월에 집에서 쫓겨 나올 때 나는 짐을 싸면서 책상 위에 쌓여 있던 것들과 서랍 속의 것들을 모조리 닥치는 대로 박스에 쓸어 담았는데 몇 년이 지나도록 그걸 열어볼 여유가 없었다. 내가 그 박스 안에서 뜯지도 않은 경서의 편지를 발견한 건 아마 소송을 통해 유산을 상속받고 작은 아파트를 사서 이사했던 때가 아닌가 싶다. 편지는 그해 1월 초쯤, 그러니까 내가 그에게 일기 상자를 돌려보내기도 전에 그가 써 보낸 것이었다. 누가 내 책상 위에 던져둔 게 박스에 쓸려 들어갔고 거기서 오랫동안 잠자고 있었던 것이다. 경서의 편지에는 그해 1월 23일 몇시에 시외버스 터미널에서 만나자는 내용이 적혀 있었지만 편지를 읽었을 땐 이미 그로부터 사 년이나 지나 있었다. 하지만 지금도 1월 23일이라는 날짜를 기억하는 건 경서가 편지에 하나 둘 셋이라고 쓰고 왈츠가 어떻다는 식으로 적어놓았기 때문이다. 1 2 3으로 연결되는 날짜를 왈츠의 박자와 연결 지었을 경서를 생각하고 그때 서른 즈음의 나는 잠시 웃었던 것도 같다.

그런데 삼십 년이 더 지난 세월이 흘러 이제 내가 12월 3일이라는 또다른 왈츠의 날을 알아낸 것이다. 1월 23일 말고 12월 3일이라는 새로운 왈츠의 날도 있다고, 그러니까 왈츠의 날은 일 년에 두 번 있는 셈이라고, 나는 당장 경서에게 편지라도 써 보내고 싶은 기분이었다. 꽤나 의기양양한 기분이던 나는 갑자기 편지의 어떤 내용을 떠올리고 자리에서 벌떡 일어났다. 휴대전화를 집어들고 양력 음력 변환 프로그램에 들어가 그해 1월 23일을 입력했다. 음력으로 변환하는 버튼을 톡 치고 나서 나는 가만히 숨을 참았다. 음력 12월 3일, 정축월 임술일. 나는 화면을 오랫동안 들여다보았고 그러자 그가 쓴 편지의 내용이 사진처럼 또렷이 떠올랐다. 그는 이렇게 썼다.

하나 둘 셋. 하나 둘 셋.

둘이 함께 왈츠의 스텝을 밟는 날.

두 겹의 차원이 동일한 무늬로 만나는 날.

그날 우리 숲속 식당에 가자.

나는 흰 종이를 꺼내 큼지막하게 1 2 3이라고 써보았다. 마주서서, 인사하고, 빙글. 세 숫자는 볼수록 춤을 추기 위해 준비하는 사람처럼 보였다. 양력과 음력이라는 두 겹의 차원이 1 2 3이라는 동일한 무늬로 만나, 마주서서 인사하고 빙글, 마주서서 인사하고 빙글, 마주서서 인사하고 빙글, 우주의 왈츠를 추는 날. 내 생애 한 번밖에 없었을 그날에 나는 어디에서 뭘 하고 있었나. 어머니 앞에 엎드려 울며 다시 착한 딸이 되겠다고 빌고 있었나, 끝장을 보자고 대들다 오빠에게 머리를 펀칭볼처럼 두드려 맞고 쓰러져 있었나. 세상은 그날 왜 나를 원하지 않는 장소에서 원하지 않는 짓을 하도록 내버려두었나.

240

나는 한참 눈을 꾹 누르고 있었다. 오래전 젊은 날에, 걸리는 족
족 희망을 절망으로, 삶을 죽음으로 바꾸며 살아가던 잿빛 거미 같
은 나를 읽고 이해해주는 사람이 있었다면. 아니, 그런 사람을, 나
를 알아본 그 사람을, 내 등을 두드리며 그러지 마, 그러지 마, 달래
던 그 사람을 내가 마주 알아보고 인사하고 빙글 돌 수 있었다면.
그랬다면 그 사람은 나와 춤추면서 넌 거미가 아니라고, 너는 지금
스스로에게 덫을 치고 있는 거라고, 그렇게 작고 딱딱한 결정체로
만족하지 않아도 된다고. 너는 더 풍성하고 생동적인 삶을 욕망할
수 있다고, 이 그물에서 도망치라고 말해주었을까. 나는 그 말에 귀
를 기울였을까. 그 뜻을 알아채고 울었을까. 수박 앞에서가 아니라
일기 상자 앞에서, 두 겹의 차원이 동일한 무늬로 만나는 날 숲속
식당에 가자는 편지를 읽고 내가 울 수도 있었을까.

아직 희망을 버리기엔 이르다. 나는 서두르지도 앞지르지도 않
을 것이다. 매년 새해가 되면 1월 23일의 음력 날짜를 꼬박꼬박
확인할 것이다. 운이 좋으면 죽기 전에 한번 더 진정한 왈츠의 날
을 맞이할 수 있을지도 모른다. 그날 나는 숲속 식당의 마당에 홀
로 서 있지 않을 것이다. 다리가 불편한 숙녀에게 춤을 권하듯 누
군가 내게 손을 내밀 테고 우리는 마주서서, 인사하고, 빙글, 돌아
갈 것이다. 공중에서 거미들이 내려와 왈츠의 리듬에 맞춰 은빛
거미줄을 주렴처럼 드리울 것이다. 어둠이 내리고 잿빛 삼베 거미
줄이 내 위에 수의처럼 덮여도 나는 더는 도망치지 않을 것이다.

기억이 나를 타인처럼, 관객처럼 만든 게 아니라 비로소 나를 제 자리에 돌려놓았다는 걸 아니까.

영원회귀의 노래

어떤 내용을 어떤 방식으로 물어도, 질문은 언제나 심문, 추궁, 힐난, 질책으로 이어진다. '너는 어떤 소설을 쓸 거야?'라고 묻는 것은 습작기 예비 작가의 꿈과 비전에 대한 관심과 애정에서 비롯된 것이겠지만, 그것이 질문인 한 어쩔 수 없이 그 대답이 과연 소설이라고 할 만한 것인지 그러니까 대답하는 사람이 소설에 대해 뭘 알기나 하는지 그런 것도 모르면서 작가가 되겠다는 것은 허세나 망상이 아닌지에 대해서까지 따져보려는 시선 아래 대답하는 사람을 노출시킨다. 질문하는 사람에게 상대를 비난하려는 의도가 있기 때문이 아니라 질문이라는 형식 자체가 상대방을 따져보는 시선 아래 노출시키고 해명하는 입장에 처하게 만드는 힘을 지니고 있는 것이다. 질문에 특별히 뾰족한 구석이 없는데도 또 거기에 대답할 말이 없는 것이 아닌데도 때때로 우리가 질문을 받고 맥락 없이 불안이나 모욕을 느끼는 데 근거가 없지 않은 것이다.

하지만 아무런 질문을 받지 않았을 때조차 우리는 스스로에게 묻게 된다. 나는 대체 어떤 소설을 쓰려는 것일까, 그것이 과연 소설이 될 수 있을까, 내가 소설이 뭔지 알기나 하는 것일까…… 스스로에게 그런 질문을 하는 대신에 자신의 선택과 의지와 충동을 긍정하고 그것을 밀고 나가는 방법을 찾아낼 수 있을까? 함부로 던져진 질문들과 함께 우리에게 끼얹어진 불안이나 모욕이 우리의 힘을 빼앗고 위축시키는 장면으로부터 벗어나는 방법을 발명해낼 수 있을까? 질문의 부정하는 힘으로부터 해방되고자 하는 이런 생각들조차 질문의 형식으로 진술되고 있는 이런 상황으로부터 빠져나가는 방법을?

「사슴벌레식 문답」의 화자 준희는 이십대가 저물어갈 무렵 친구들과 1박 2일 여행을 갔다가 우연히 그 방법을 찾아냈다. '의젓한 사슴벌레식 문답'을. 강촌 마을 숙소에는 커다란 사슴벌레가 몸이 뒤집힌 채 버둥거리며 빠른 속도로 움직여 다니고 있었다. 벌레를 발견한 친구 정원이 숙소 주인에게 묻는다. 방충망도 있는데 도대체 그렇게 커다란 벌레가 어디로 들어오는 것인가? 벌레가 나오는 깨끗하지 못한 방을 내준 셈이어서 약간은 민망한데다 또 딱히 시원한 답도 없었을 숙소 주인이 얼마간 뻔뻔하게 그러나

"득도한 듯 인자한 얼굴로"(21쪽) 이렇게 대답한다. "어디로든 들어와."(같은 쪽, 이하 강조는 인용자) 질문에 대답하는 형식을 취하면서도 실제로는 대답 없이(어디로 들어오는지는 몰라, 그건 중요하지 않아, 대답할 필요도 없고 물을 필요도 없어) 질문이 문제삼는 그것을 강하게 긍정해버리는(그렇지만 '들어온다'는 건 확실해, 꼭 들어와, 어디로든 어떻게든 네가 그것을 막기 위해 무슨 짓을 하든 반드시 들어오게 될 것이었어, 그것은 마치 타협이 불가능한 진리와도 같은 거야) 이 화법을 준희와 정원은 '의젓한 사슴벌레식 문답'이라고 부르고 즉각 실행 연습해보기로 한다.

인간은 무엇으로 사는가?
인간은 무엇으로든 살아.
강철은 어떻게 단련되는가?
강철은 어떻게든 단련돼.
너는 왜 연극이 하고 싶어?
나는 왜든 연극이 하고 싶어.
너는 어떤 소설을 쓸 거야?
나는 어떤 소설이든 쓸 거야.(21~22쪽)

준희와 정원이 발견하고 다듬어 만들어낸 '사슴벌레식 문답'이란, 수군거리며 주눅들게 만드는 질문의 덫에 걸려들지 않는 방법,

자신의 운명을 스스로 만들고 긍정하고 실천하며 밀어붙이는 방법, 쓰고 싶은 소설을 쓰고 하고 싶은 연극을 하고 강철로 단련되어 자신의 삶을 살아내기 위해 필요한 실용적인 방법이지 않을까.

*

우리에게도 배우고 익힐 필요가 있어 보이는 이 '의젓한 사슴벌레식 문답'은 그러나 이 소설의 전체 구도에서 볼 때 출발점에 지나지 않는다.

정원은 '마법의 버튼'과도 같은 이 '사슴벌레식 문답'을 배우고 익혔는데도 어째서 그때의 여행으로부터 십 년이 지나 자살하고 말았을까? 그런 질문이 떠오르자마자 사슴벌레식 문답은 무섭게 돌변한다. 왜든, 어떤 맥락에서든, 사슴벌레식 문답을 발견했든 아니든 정원은 자살하게 될 것이었다는 식으로. 정원의 이십 주기 추모 모임에 혼자 다녀온 준희는 한 시절을 동고동락했던 경애와 부영을 떠올리며 자문자답한다.

경애는 그렇다 치고, 부영이는 왜 내 전화도 받지 않는 거니? 내가 묻는다.

부영이는 왜든 네 전화도 받지 않아. 정원이 답한다.

어떻게 네 추모 모임에도 안 오니?

어떻게든 내 추모 모임에도 안 와.

부영이가 너를 얼마나 사랑했는데?

부영이가 나를 얼마나 사랑했든.

우리가 어떻게 이렇게 됐을까?

우리는 어떻게든 이렇게 됐어.

우리는 언제부터 이렇게 됐을까?

우리는 언제부터든 이렇게 됐어. 이유가 뭐든 과정이 어떻든 시기가 언제든 우리는 이렇게 됐어. 삼십 년 동안 갖은 수를 써서 이렇게 되었어. 뭐 어쩔 건데? 이미 이렇게 되었는데.(28~29쪽)

돌변해버린, 이 두번째 판본의 사슴벌레식 문답에 따르면, 지난 일들이 어떤 과정을 거쳐왔는지 따져보고 거기에 어떤 의미와 맥락이 있는지 살펴보는 것은 아무런 의미도 없는 일이다. 지금 여기의 현실이 이와 같이 결정됐다는 사실을 돌이키거나 수정하는 것이 전혀 불가능하기 때문이다. 죽은 정원이 살아 돌아오는 것이 불가능한 만큼이나, 살아남은 세 친구의 관계가 파탄 나고 말았다는 사실을 돌이키거나 수정하는 것도 전혀 불가능하리라. 뭐 어쩔 건데? 이미 이렇게 되었는데. 정원은 왜 스스로 목숨을 끊은 것일까. 왜든 정원은 자살하게 될 것이었다. 어떤 이유에서든 부영은 뇌혈관이 터질 것이었고 부분적인 기억상실에 의지하지 않고는 자신의 삶을 견딜 수 없게 될 것이었다. 어떻게든 경애는 자신이 살겠다고 친구를 배신하는 증언을 하고 그 때문에 같이 활동하던 동료이자 친구의 남편이 팔 년 동안 감옥에 갇혀 있어야 했지만 자신은 팩트만 이야기했으니 너희에게 미안하지 않고 미안하지 않은 이유가 있다고 말하게 될 것이었다. 나중에는 교수 자리를 지키기 위해 무슨 법사도 만나고 무슨 포럼에 패널로 가게 될 것이었다(준희처럼 독자들도, 2022년 윤석열 대통령 당선 이후의 시대를 살아가는 우리도, 그 법사나 포럼에 대해 자세히는 모르지만 묻지 않아도 알 것 같다).

그러니 첫번째 판본의 사슴벌레식 문답이라는 것은 아름답고 애틋하지만 별무소용의 허구에 지나지 않는 것이다. 그 의젓함이란 애초부터 "뒤집힌 채 버둥거리며 빙빙 도는 구슬픈 사슴벌레의 모습은 살짝 괄호에 넣어두고"(22쪽) 예쁘장하게 꾸며낸 거짓 이미지일 뿐이지 않은가. 이미 그렇게 될 것이었던 것이 드디어 그렇게 된 것을 두고 어쩌라는 말인가. 어쩌겠다는 것인가. 결정 지어진 현실의 승리를 선언하고 너희들은 패배를 인정해야 마땅하다고 윽박지르는 것이야말로 사슴벌레식 문답의 본의가 아닐까.

야, 너 나한테, 두진씨한테 미안하지도 않냐.
부영아, 나 너한테든 두진씨한테든 미안하지가 않아.
어떻게 미안하지가 않아?
어떻게든 미안하지가 않아.

너 어떻게 이러냐? 니가 어떻게 이래?

나 어떻게든 이래. 내가 어떻게든 이래.(34~35쪽)

이 뻔뻔하고 완강한 승리 선언은 곧이어 세번째 판본으로 이어진다. 저 잔인하고 가차없는 필연성 앞에서 우리가 굴복해야 한다는 것이 사실이라면, 사슴벌레식 문답은 패배의 수용과 굴복 말고는 다른 길이 없다는 자각 이외에 아무것도 아니게 되고, 그렇다면 그것은 굴복할 수밖에 없었던 자의 체념과 절망 그리고 무엇보다 두려움의 표현과 직결된다. '어디로든 들어왔다 어쩔래'라고 윽박지르는 것이 아니라, "어디로 들어왔는지 특정할 수가 없고 그래서 빠져나갈 길도 없다는 막막한 절망의 표현" "감당하기 힘든 두려움의 표현"(37쪽)이 된다.

너 어떻게 이러냐? 니가 어떻게 이래?

나 어떻게든 이래. 내가 어떻게든 이래. 이렇게 되었는데 어떻게 이렇게 되었는지 도무지 알 수가 없어.

어떻게 미안하지가 않아?

어떻게든 미안하지가 않아.

어떻게든 미안하지가 않다는 말은 미안할 방법이 없다는, 돌이킬 도리가 없다는 말일 수도 있다. 우리가 지나온 행로 속에 존재했던 불가해한 구멍, 그 뼈아픈 결락에 대한 무지와 무력감

의 표현일 수도 있다.(같은 쪽)

이 두렵고 막막한 절망이 「사슴벌레식 문답」의 후반부를 장악한다. 그것은 사슴벌레식 문답을 오래 생각하다가 어떻게든 미안하지 않다고 말하는 경애의 이해할 수 없는 심경을 어떻게든 이해해보려는 준희 때문일 것이다. 경애 자신이 덫에 걸려 빠져나가지 못하고 절망하며 두려워하고 있으리라 생각하는, 그런 사람이 실은 경애뿐만이 아니라고 생각하는 준희 때문일 것이다. 준희 자신이 "알지 못하는 어느 경로로 잘못 들어가 돌아나갈 길을 찾지 못하고 동그랗게 갇혀버렸는지도 모른다"(42쪽)는 생각 때문일 것이다. 스무 살 무렵부터 준희는 갈등과 암투의 관점에서 삶을 이해해왔고 그러느라 자신과 주변 사람들을 물어뜯으며 살아왔는데 사십 년 가까이 지난 지금까지도 그렇게 살아가고 있다는 것. 갈등과 암투의 세계에 갇혀 "입술로는 경애를 용서하라며 이로는 경애를 물어뜯"고, "그러면서 동시에 부영까지 가차없이 물어뜯"(40쪽)으며. 준희는 어쩌다가 내시와 상궁의 마음을 가지고 물어뜯으며 살아가는 사람이 되었을까. 그것을 알 수 없고 그런 삶의 방식과 그 결과 모두로부터 벗어날 길도 알지 못해 준희는 막막하고 두렵고 절망적이다. 그렇게 해서 세번째 판본의 사슴벌레식 문답이 소설의 말미에 한번 더, 거의 처절하게 무력한 목소리로 되풀이된다.

어디로 들어와?

어디로든 들어와.

어디로 들어와 이렇게 갇혔어?

어디로든 들어와 이렇게 갇혔어. 어디로든 나갈 수가 없어. 어디로
든……(42쪽)

*

인용문의 마지막 구절이 특히 우리에게 강렬한 인상을 준다면,
그것은 아마도 저 목소리가 준희의 개인적 회한에 그치지 않기 때
문일 것이다. 소설 속에서 이제 예순 즈음에 들어선 준희의 세대,
권여선 작가 본인과도 비슷한 연령의 그 세대 전체가 공유하는 절
망과 무력감이 여기서 함께 울리고 있는 것이 아닐까. 상승하는
한 세대의 유력한 인물들이 다양한 방식으로 대거 동참한 사회변
혁 운동이 오랜 기간 동안 무수한 갈등, 고통, 희생을 치르며 변화
와 등락을 거듭하다 '촛불혁명'에 이르러 하나의 매듭을 지은 것
처럼 보였지만, 긴 시간 어렵게 이뤄낸 것처럼 보였던 것이 지난
일 년여 동안 또다시 일거에 무너져내린 것이 지금 우리의 현실이
아닌가. 이제는 철 지난 것이거나 적어도 극복되어가는 과정이라
고 여겨졌던 반민주적 권위주의가 노동 혐오, 소수자 혐오, 반공

의 추억 등에 힘입어 혹은 그것들을 부추기며 현실의 국가권력으로 되돌아오지 않았나. 동양사학과 고경애 교수가 교수 자리를 지키기 위해 무슨 법사를 만나러 다닌다거나 그가 십 년 전 간첩 조작 사건과 관련한 거짓 증언을 했다거나(세부 사항들에서 명백한 차이가 있기는 하지만 소설 속 간첩 조작 사건의 시기 때문에 우리는 어쩔 수 없이 2013년 서울시 공무원 간첩 조작 사건을 떠올릴 수밖에 없다. 당시 사건의 담당 검사는 나중에 증거 조작 혐의로 검찰 수사를 받았으나 증거 조작을 직접 하지 않았거나 인지하지 않았다는 이유로 무혐의 처분을 받았고 다만 증거 검증 책임 소홀로 정직 일 개월 처분을 받았는데 2022년 5월에 대통령실 공직기강비서관으로 발탁돼 논란이 일었다) 다음과 같은 구절이나 하는 것들이 어쩔 수 없이 강하게 현실을 환기시키는 것이다.

정권이 바뀌어 암묵적인 사상적 사면의 분위기 속에서 한국으로 돌아와 대학에 자리를 잡게 된 경애는 자신이 찾아 들어온 틈이 다시 나갈 수 없는 절망의 입구인 줄 몰랐을 것이다. 다시 정권이 바뀌고 종북 프레임이 되살아나면서 요행히 들어온 줄 알았던 그 구멍은 재앙처럼 닫혀버렸다. 캐비닛에서 서류가 쏟아지고 사람들이 줄줄이 잡혀간다.(37~38쪽)

그리고 이 소설이 발표되고(2022년 10월) 얼마 지나지 않아 간

첨단 수사 관련 보도가 떠들썩하게 이어졌다. 이제 와서 보면 소설 속 십 년 전의 사건들이 현실에서 곧 벌어질 일에 대한 예감이 되고야 말 것이었던 것이다. 회상과 예감의 아찔한 착란, 과거와 미래가 기묘하게 꼬인 시간의 이미지. 소설 속 준희가 그렇듯 우리도 그 안에 갇혀 있다. 어디로든 들어와 이렇게 갇혔어. 어디로든 나갈 수가 없어. 어디로든……

　그러니까 「사슴벌레식 문답」을 읽는 표준적인 방법은 다음과 같은 것이 될 것이다. 여러 차례 재해석되는 사슴벌레식 문답을 통해 준희와 그 친구들이 그들 자신의 개인적 삶을 어떻게 이해하고 살아내고자 했는지에 대한 이해를 시도하면서도 동시에 우리와 무척 가까운 특정 세대 공통의 역사 경험을 체험하기. 그러한 체험을 통해 결국 (독자가 어느 세대에 속한다 하더라도) 우리 자신의 역사적 현실을 돌아보기. 지나간 시간인 줄 알았던 것이 미래로부터 되돌아와 우리에게 패배와 굴욕을 시인하라고 다그치는, 빠져나갈 수 없게 우리를 죄어들어오는 시간의 원환圓環을 소설 속 인물들과 함께 겪기. 그를 통해 절망과 무력감으로 절여져 있는 지금 여기의 현실을 다시 돌아보기.

*

　그러나 「사슴벌레식 문답」에는 거기까지만 읽고 끝낼 수 없게 만드는 힘이 들어 있다. 그리고 그 힘이야말로 『각각의 계절』을 강렬한 소설집으로 만드는 원천일 것이다. 그 힘에 대해 어떻게 말해야 할까. 그것을 말하기 위해 「사슴벌레식 문답」을 잠시 떠나 「실버들 천만사」와 「기억의 왈츠」에서 공통으로 확인할 수 있는 구도에 대해 먼저 이야기해보자.

하룻밤 여행을 떠나 내밀한 이야기를 나누는 반희와 채운 모녀를 다루고 있는 「실버들 천만사」에는 '다시 쓰기'라고 할 만한 구도가 여러 차례 눈에 띈다. 자세한 사정은 밝혀져 있지 않지만 반희는 자신을 살려놓기 위해 칠 년 전 이혼했다. 어쩔 수 없는 결정이었지만 반희는 어린 채운을 두고 온 것이 마음에 걸렸고 혼자 그 집에서 빠져나온 자신이 이제 와서 엄마 노릇하려 들어서야 되겠는지 채운의 인생에 간섭할 자격이 있는지 의심했다. 그것이 채운에 대한 반희의 사랑의 방식이었다.

반희는 채운이 자신을 닮는 게 싫었다. 둘 사이에 눈에 보이지 않는 닮음의 실이 이어져 있다면 그게 몇천 몇만 가닥이든 끊어내고 싶었다. 그래서 결국 둘 사이가 끊어진다 해도 반희는 채운이 자신과 다르게 살기를 바랐다. 그래서 너는 '너', 나는 '나'여야 했다.(50쪽)

어떤 독자들은 이 대목에서 이 소설의 제목을 생각하며 희자매

가 부른 〈실버들〉(1978)을 떠올릴지도 모르겠다.[1] '실버들을 천만
사千萬絲 늘어놓고도'로 시작하는 이 노래는, 바람 부는 어느 봄날
무수히 늘어져 있는 수양버들(가늘고 길게 늘어진 버들, 다른 말로
실버들) 가지가 바람 따라 하늘거리는 모습을 두고 수양버들이 스
쳐지나가는 바람을 붙잡고 싶어하지만 붙잡을 수 없다고, 바람 가
듯 봄도 가고 그 여리고 어여쁜 연둣빛 잎사귀들도 붙잡을 수 없
는 봄 따라 흩어지게 될 것이 틀림없다고, 천만 가닥의 실가지를
지닌 버드나무조차도 지는 봄을 붙잡을 수 없는데 고작 두 손뿐인
내가 떠나는 님을 어떻게 붙잡겠느냐고, 봄 지난 버드나무처럼 자
신 또한 시름에 야위고 늙어가리라고 한탄한다. 실버들 천만사로
도 단단히 붙들어 맬 수 없는 인연을 슬퍼하는 이 노래를 반희는
뒤집어놓고 있다. 붙잡을 수 없어서 슬픈 것이 아니고 붙잡고 있

---

1) 항간에는 〈실버들〉이 김소월의 유고시라는 말이 떠돈다. 『김소월 시집』(스타북
스, 2018)에도 그 노랫말이 유고시로 수록돼 있기도 하다. 그러나 김소월의 다른
미발표 친필 유고시의 발굴 경로와 달리 〈실버들〉의 발굴 경로가 극히 불투명해 그
것을 유고시로 확정할 근거가 부족하다. 『문학사상』 1977년 11월호에서 발굴·공
개한 김소월의 유고시 자료에도 「실버들」은 없고 자료 정리를 겸하고 있는 『김소월
전집』(김용직 엮음, 서울대학교출판부, 1996), 『김소월 시전집』(권영민 엮음, 문학
사상사, 2007), 『김소월 작품집』(최동호 엮음, 범우사, 2022)에도 보이지 않는다.
하지만 김소월의 시가 이별의 회한과 그리움, 연인을 붙잡을 수 없는 심경을 반복
해서 노래했다는 점, 인연을 표현할 때 늘어진 나뭇가지, 길게 돋아난 풀, 머리카
락, 풀려나는 연기 등 실[絲]의 이미지를 즐겨 사용했다는 점 등을 생각해볼 때 〈실
버들〉이 김소월의 시'처럼' 보이는 것도 사실이다. 〈실버들〉이 김소월의 시가 아니
라 해도 김소월의 시를 다시 쓴 것이라고 할 수는 있지 않을까?

기 때문에 슬픈 것이다, 그 실을 통해 내 이지러진 삶이 딸에게 전달될 것이기 때문에 슬픈 것이다. 그래서는 안 된다, 나와는 다른 삶을 살아야 할 딸의 인생에 들러붙지 않으리라, 딸을 너무나 사랑한다는 바로 그 이유 때문에 무슨 수를 써서든 나는 우리 사이에 이어지고 늘어져 있는 그 천만 가닥의 실을 모조리 끊어놓으리라……

그러나 이 여행지에서의 하룻밤 동안 모녀가 나눈 대화는 결국 '실버들 천만사'의 노래를 한번 더 뒤집어놓게 된다. 이 대화에서 알려진 사정은 이렇다. 십여 년 전 어린 채운의 마음으로도 엄마가 집을 나가야만 했고 결국 엄마 없는 집에 혼자 남겨지게 되리라는 것을 미리 알았다. 알았지만 모른 척 살아가다가 결국 엄마 없는 현실을, 맹렬히 사랑하거나 증오하거나 절망할 수는 있어도 결코 담담하게 받아들일 수는 없는 그 현실을 맞닥뜨리고 감당해야만 했다. 예감이 실현된 그 체험 이후로 채운은 '미래완료'라는 말이 너무나 슬퍼졌다. 반드시 찾아오게 될 미래가 이미 현재 안에 들어와 있다는 것, 그 미래는 너무나 피하고 싶은 것인데도 그것이 현재의 시간 속에 끼어들어와 있는데도 그것을 결코 건드리거나 변경할 수 없다는 것, 아직 오지 않은 그 고통스런 미래가 '반드시 그렇게 될 것'으로 현재 안에 이미 끼어들어와 있기 때문에 그것이 마치 현재의 현실인 것처럼 너무나 생생하게 느껴질 수도 있다는 것을 채운은 경험으로 알았다. 그뒤로 절대로 피하고 싶지만 결코 피할 수 없을 또다른 미래완료, 엄마가 죽고 나서 세상에 없기 때문에 혼자 살아가게 될 것이 틀림없는 미래완료를 현재의 시점에서 너무나 생생하게 미리서 겪어버릴 때가 있다(미래와 현재의 아찔한 착란, 기묘하게 꼬인 시간의 이미지). 그리고 그때마다 채운은 호흡곤란을 겪어야 했다. 그런 증상들을 말하다가 채운은 덧붙인다. "사랑하지 않으면 이렇게 안 힘들어도 되는데, 미워하면 되는데, 왜 우린 사랑을 하고 있어?" "사랑해서 얻는 게 왜 이런 악몽이야?"(77쪽) 그런 말들을 듣고 나서 반희가 내린 결론은 이런 것이다. 그렇다면 악몽을 피하기 위해서라도 사랑을 그만두자가 아니라,

　사랑해서 얻는 게 악몽이라면, 차라리 악몽을 꾸자고 반희는 생각했다. 내 딸이 꾸는 악몽을 같이 꾸자. 우리 모녀 사이에 수천수만 가닥의 실이 이어져 있다면 그걸 밧줄로 꼬아 서로를 더 단단히 붙들어 매자. 함께 말라비틀어지고 질겨지고 섬뜩해지자.(79쪽)

「실버들 천만사」는 피할 수 없는 이별을 한탄하는 구슬프고 처연한 사랑 노래인 〈실버들〉을 처음에는 사랑하기 때문에 결연하게 다짐한 이별의 노래로 다시 썼다가 나중에는 악몽으로도 끝 수 없으리만큼 섬뜩하게 타오르는 사랑 노래로 다시 쓴다. 천만 가닥의

실도 소용없노라는 노래를, 그 실들을 모조리 끊어내야만 한다는 노래로, 그리고 다시 그 실들을 꼬고 엮어 무엇으로도 끊어낼 수 없는 운명의 밧줄을 만들어야 한다는 노래로.

이 다시 쓰기가 체념과 굴복이 포함되었던 모녀의 관계 및 두 사람 각각의 인생행로를 조금이라도 바꿔놓게 되리라고 이 소설은 예감하며 끝난다. 그것은 한편으로 이 모녀의 대화 속에 나오는 생명체들의 신체 변형이 살아남기 위한 '적응의 결과'라고 수동적이고 반응적인 것으로 풀이되었다가("세상 뭐 다 이렇게 슬픈 얘기야, 젠장. (……) 나는 [살아남기 위해] 원래 생겨먹은 데서 얼마나 많이 바뀌었을까[훼손되었을까]", 73쪽) 그것이 자신의 삶을 개척하는 '진화의 과정'이라고 능동적이고 적극적인 것으로 재해석되는("뇌를 젤리화하고 마음에 전족을 하고 기형의 꿈을 꾸자", 79쪽) 다시 쓰기와도 호응한다. 다른 한편으로 그것은 소설에서 짧게 두 번 반복해서 스쳐가는 장면인 '뭔 소리야? 나 이거 ○○한테 배운 건데'(66, 81쪽)의 다시 쓰기와도 호응한다. 처음에는 그저 맛있는 음식을 마음껏 먹는 일에서도 눈치를 보고 소극적이 되고 마는 채운에게 반희가 가볍게 타박하듯 왜 그럴까 묻자 그게 다 매사에 소극적이고 눈치보는 엄마에게서 배워서 그렇다는 것(그러니 천만 가닥의 실을 끊어내야 하리라)이었는데, 천만 가닥의 실로 끊을 수 없는 밧줄을 꼬기로 결심한 뒤 어딘가 말투가 달라진 반희를 지적하는 채운에게 이번에는 반희가 그게 다 딸에게서 배워서 그렇다는 것으로, 다시 말해서 서로를 닮아가는 일을 피해야 할 추락에서 추구해야 할 상승으로 재평가해 다시 쓰기. 채운은 반희의 달라진 말투에 대해 이렇게 평가하는 것이다. "내가 그렇게 멋있게 말한다고?"(81쪽) 다시 쓰기가 반복되는 저 내러티브들의 밑바닥에는 '다시 쓰기 그 자체'를 정당화하고 그것을 삶을 밀고 나가는 힘으로 인정하고 활성화하려는 의지가 꿈틀거리고 있는지도 모른다. '미래완료'를 '미완료' '미결정'으로 되돌려놓으려는 의지가. 돌이킬 수 없는 결정적인 단 한 번을, '반복'과 '다시'의 되돌아오고 되돌아가는 흐름 속에서 고쳐 쓸 수 있고 그래야만 한다는 의지가. 그러니까 영원회귀의 의지가.

『각각의 계절』의 마지막에 놓여 있는 「기억의 왈츠」, 그중에서도 마지막 두 단락에는 '다시 쓰기'의 내러티브와 '다시 쓰기'를 향한 의지가 보다 직접적으로 드러나 있다. 「기억의 왈츠」의 화자는 얼마 전 교외에 있는 숲속 식당을 방문했을 때 오래전 그 장소에 와본 적이 있다는 것을 기억해내고 그뒤로 그 시절을 자꾸 돌아보다가 잃어버린 몇몇 기억들을 아프게 되찾는다. 그 시절의 자신이 학대당하고 학대하는 연쇄에서 빠져나갈 길이 없으리라 미리 체념하며 냉소와 허무주의 속에서 얼마나 스스로의 삶을 함부로 대했는지 그러느라 주위 사람들에게 얼마나 함부로 대했는지 자신에게 먼저 손 내민 사람도 제대로 알아보지 못하는 바람에 절망에서 빠져나올 수도 있었을 기회를 얼마나 안타깝게 놓치고 말았는지 그 자세한 사정을 되짚어본 끝에 화자는 "아직 희망을 버리기엔 이르다"(241쪽)고 생각한다. 되찾은 기억을 통해 자신이 무엇을 어떻게 놓쳐버렸는지 알아낼 수 있었으니까. 과거로의 시간여행을 할 수는 없겠지만 현재의 삶 속에서 잊고 있던 과거 사건들과 동일한 상황을 찾아내 이번에는 다른 선택을 할 수도 있게 될 것이니까. 지키지 못한 경서와의 약속을 예상치 못한 방식으로 다른 누군가에게 지킬 수도 있게 될 것이니까. 남아 있는 자신의 삶을 과거의 방식 그대로는 다시 쓰지 않을 수도, 다르게 다시 쓸 수도 있을 테니까. 요약하자면 이렇게 된다. '오래전 젊은 날에 이러저러했다면 과연 지금과 다른 삶을 살 수 있었을까. 기억이 나를 과거의 그 자리로 되돌려놓았으니 이번에는 나의 삶으로부터 도망치지 않고 다른 선택을 할 것이다. 희망을 버리기엔 이르다.'

오래전 젊은 날에, 걸리는 족족 희망을 절망으로, 삶을 죽음으로 바꾸며 살아가던 잿빛 거미 같은 나를 읽고 이해해주는 사람이 있었다면. 아니, 그런 사람을, 나를 알아본 그 사람을, 내 등을 두드리며 그러지 마, 그러지 마, 달래던 그 사람을 내가 마주 알아보고 인사하고 빙글 돌 수 있었다면. 그랬다면 그 사람은 나와 춤추면서 넌 거미가 아니라고, 너는 지금 스스로에게 덫을 치고 있는 거라고, 그렇게 작고 딱딱한 결정체로 만족하지 않아도 된다고, 너는 더 풍성하고 생동적인 삶을 욕망할 수 있다고, 이 그

물에서 도망치라고 말해주었을까. 나는 그 말에 귀를 기울였을까. 그 뜻을 알아채고 울었을까. (……)

아직 희망을 버리기엔 이르다. (……) 어둠이 내리고 잿빛 삼베 거미줄이 내 위에 수의처럼 덮여도 나는 더는 도망치지 않을 것이다. 기억이 나를 타인처럼, 관객처럼 만든 게 아니라 비로소 나를 제자리에 돌려놓았다는 걸 아닐까.(241~242쪽)

이 글에서는 거의 다루지 못했지만 앞서 다룬 소설들과 비슷한 구도에서 「무구」를 읽어볼 수도 있을 것이다. 그것이 우정이든 자각되지 않은 동성애든 부동산 계약이든 소미와 청산되지 않은 문제를 마무리짓기 위해 어느 날 문득 사라져버린 현수가 소미를 찾아 되돌아온다면, 소미가 만족하며 즐기고 있는 은퇴 생활자의 일상은 대혼란에 빠질 것이고 너무 젊어 두렵기만 했던 시절로 돌아가 모든 것을 다시 시작해야 할 것이므로, 현수의 회귀 가능성이라는 주제는 소미에게 불안이자 부인의 대상이다. 그럼에도 소미는 현수의 회귀를 은밀히 그러나 간절히 바란다. 그것이 만족스럽지만 사실은 미쳐버린 것에 틀림없는 현재를 다시 쓸 수 있는 계기가 될 것이니까. 소미의 인상적인 착오랄까 연상 속에서 어떤 부부의 연애하던 시절의 옛 모습이 그 부부의 퇴락해버린 현재 모습보다 나중에 소미의 눈앞에 나타난 것은 단지 부동산 문제로 미쳐버린 부부의 모습을 그들의 풋풋했을 과거와 대비시켜 안타깝게 그

려내는 효과 이상으로 '회상과 예감의 아찔한 착란, 과거와 미래가 기묘하게 꼬인 시간의 이미지'를 만들어내 '반복'과 '다시 쓰기' 쪽으로 이어지는 희미한 생각의 길을 열어놓는 기능을 한다.

*

이제 「사슴벌레식 문답」으로 되돌아가보자. 이 소설에서 우리에게 패배와 굴욕을 시인하라고 다그치는, 절망과 무력감으로 절여져 있는, 빠져나갈 수 없게 우리를 죄어들어오는 시간이라는 원환圓環의 우화가 내러티브의 순서상 마지막에 마치 결론처럼 놓여 있는 것은 사실이다. 하지만 이 소설의 내러티브가 '사슴벌레식 문답'을 새롭게 해석해낼 때마다 그 시점에서 그것은 자족적이고 완결된 것처럼 보였다는 것, 그러나 그 내러티브가 앞선 해석을 오래 음미하다보면 결국에는 그것을 다시 다르게 해석해서 새로운 우화로 만들어놓는데, 바로 그 '다시 쓰기'야말로 「사슴벌레식 문답」의 내러티브를 밀고 나가는 동력원이 된다는 것도 사실일 것이다.

그것이 사실이라면 마지막 차례에 놓여 있는 해석이 마지막에 놓여 있다는 이유로 사슴벌레식 문답의 최종 진리가 될 수는 없다. 어느 경우라도 한번 더 재해석될 가능성이 남아 있으니까. 그것이 다시 쓰기의 내러티브가 강렬하게 주장하는 바이니까. 「실버들 천만사」의 모녀가 미래완료 시제 속으로 들어가, 죽음에 의한 이별이라는 결론을 바꿀 수는 없겠지만 죽음에 이르기까지의 두 사람의 관계와 저마다의 인생행로를 바꿔놓기로 결심하고 이제 막 그 결심을 실천하기 시작한 것처럼, 죽음에 의한 이별이라는 결론이 중요한 것이 아니라 그 결론에 도달하기까지의 우여곡절 이 중요하고 바로 그 우여곡절 속에서 우리가 악몽을 불사할 정도 로 충분히 아니 지나치게 무엇인가를 체험할 수만 있다면 죽음의 값이 달라지고 죽음조차도 우리에게 충분한 굴욕을 줄 수 없게 될 것이었던 것처럼. 「기억의 왈츠」의 화자가 오래전 젊은 날에 시작 도 못하고 실패했던 왈츠를 기억 속에서 되찾아 그 빙글빙글 돌아 가는 원무圓舞처럼 제자리로 돌아가 자신의 삶을 다시 쓰려 했던 것처럼.

지나간 시간인 줄 알았던 것이 미래로부터 되돌아오고 "오래된 과거를 향해 하염없이 거슬러올라가다보면 그 끝에 지금의 내가 살고 있는, 그런 무서운 기억의 원환"(41쪽)인 사슴벌레들의 원 환은, 잃어버린 시간을 되찾아 다시 쓰는 왈츠의 원무(「기억의 왈 츠」)와도, 흘러간 옛 노래를 다시 쓰고 미래완료 시제로 되어 있는 시간 구성 그 자체를 다시 쓰며 지나간 삶과 새로 오는 삶을 천만 가닥으로 엮어놓기(「실버들 천만사」)의 구도와도 비례하기 때문에 절망과 무력감으로 절여진 현실에 대한 진단으로 돌이킬 수 없게 끝맺음되기 어렵다. 그 모든 무섭고 절망적인 해석을 주파해 시간의 원환을 한 바퀴 돌아 제자리로 돌아간다면 거기에 여전히 '의 젓한 사슴벌레식 문답'이 기다리고 있는 것이 아닐까. 거기에 정원, 부영, 경애와는 제대로 해낼 수 없었던 어떤 관계의 가능성이 기다리고 있는 것이 아닐까. 그것들을 다시 만나 사슴벌레식 문답의 네번째 판본을 다시 쓸 수 있겠느냐고. 그것이 권여선식 영원회귀의 시험이라고, 「사슴벌레식 문답」은 그 표면적인 내용 아래서 속삭이고 있는 것 같다. 당신은 당신의 다시 쓰기를 시험해볼 수 있겠느냐고.

*

앞에서도 언급했지만 「실버들 천만사」는 흘러간 옛 유행가를 제목으로 또 주요 모티브로 내세우며 다시 쓰고 있는데, 따지고 보면 『각각의 계절』에는 여기저기 옛날 노래들이 흘러나온다. 「기억의 왈츠」에서 화자와 경서가 도서관 터널에서 만났을 때 함께 부른 노래, "요즘도 나는 젊은 날 도대체 왜 이런 노래들만 부르고 살았을까 싶은, 그러나 하도 불러 아직도 가사를 완벽하게 외우고 있는 노래들을 이따금 불러보곤 한다"(216쪽)고 했던 그 노래는 김민기의 〈차돌 이내몸〉[2]이다. 어떤 의미에서 이십대의 화자와 경서

---

2) 이 노래 자체에 이미 '다시 부르기'의 작은 역사가 내재되어 있다. 1970년대 당

는 거의 사십 년이 지난 뒤에야 간신히 알게 될 것을 당시의 유행가에 기대어 미리 불러대고 있었다고 할 수 있다. 왜냐하면 먼 훗날 화자는 스스로의 삶에 덫을 치고 삶을 죽음으로 바꿔놓는 바람에 자기 삶을 그렇게 '작고 딱딱한 결정체'로 위축시키고 말았지만 이제는 그것을 깨뜨려야 하고 깨진 듯이 외쳐야 하고 그렇게 해서 산산이 부서뜨리고 살아 움직이는 삶으로 다시 써야만 한다고 절감하게 되었는데 약 사십 년 전부터 반복되던 이 노래의 후렴구가

국의 요주의 인물이었던 김민기가 작사·작곡한 〈차돌 이내몸〉은 1974년 양희은의 앨범으로 발매되었으나 금지곡 처분으로 전량 수거 폐기되었다. 이 노래는 1993년이 되어서야 김민기가 다시 부른 버전으로 '김민기 2'에 수록되어 일반에 공개되었는데 그러나 김민기가 다시 녹음하기 전에도 〈차돌 이내몸〉은 구전되어 불리고 있었고 80년대 학번인(소설 속 왈츠의 날 즉 음력 12월 3일이면서 양력 1월 23일인 날이 있는 해는 1985년이니 두 사람이 가까워진 해는 1984년이 된다) 이 소설의 화자와 경서는 선배들에게 배운 노래를 읊조리고 있었던 것이다. 한편 오랫동안 실물을 확인할 수 없었던 양희은의 앨범 '차돌이 내몸'(1974년 양희은의 앨범과 1993년 김민기의 앨범에서 이 노래의 제목은 각각 '차돌이 내몸'과 '차돌 이내몸'으로 차이가 난다)은 2022년에 재발매되었는데, 이 재발매 덕분에 구전 민중가요를 따라 부르던 대학생들은 물론 93년의 김민기도 기억해내지 못해 부를 수 없었던 2절의 가사를 확인할 수 있게 됐다. 「기억의 왈츠」에서 화자와 경서가 함께 부른 이 "노래가 3절까지 완벽하게 끝났을 때 구선배가 뭐 이런 빌어먹을 노래를 끝까지 다 부르고 난리냐"(215쪽)고 한 것은, 그러므로 얼마간 잘못된 것이었다. 어떤 경우에도 노래는 끝까지 다 부를 수 없고 완벽하게 끝낼 수 없기 때문이다. 3절로 끝나는 것처럼 보이는 노래에서 잊혀진 2절을 되찾아 3절 너머까지 다시 부르는 일이 남아 있었음을 소설 바깥의 현실에서 재발매된 '차돌이 내몸'(2022)이 보여주면서 그보다 한 해 전 발표된 「기억의 왈츠」(2021)를 보충해주는 것처럼.

이미 '산산이 부서져라 차돌(=작고 딱딱한 결정체) 이내몸/ 깨뜨리고 깨진 듯이 외쳐라'이기 때문이다.

「사슴벌레식 문답」에는 정태춘·박은옥이 함께 부른 〈북한강에서〉(1985)가 나온다.[3] 정태춘은 이 노랫말에서 아주 우울한 날들이 우리 곁에 있을 때는 새벽 강을 보러 떠나야 한다고, 물길을 거슬러올라가면 시간을 거슬러올라간 듯 신선한 새벽의 강이 새로 오는 시간처럼 흐르고 있을 거라고, 그 새로 오는 시간의 흐름이 짙은 안개를 걷히게 할 거라고 썼다. 시간의 원환을, 죄어들어오며 빠져나갈 수 없게 하는 무력감의 감옥과 같은 것으로 상상하는 삼십 년 후의 친구 준희를 위해, 부영은 시간의 원환은 그런 것이 아니라고 우리가 그때 강촌 마을에서 봤던 새벽의 북한강을 기억하느냐고 최종 결정이란 없고 영원한 시간의 회귀 속에서 모든 것은 신선한 새벽 강처럼 다시 쓰여질 수 있다는 노래를 자기도 모르게 미리서 부르고 있었는지도 모른다.

앞의 노래들과는 전혀 성격이 다르지만 '태극기가 바람에 펄럭입니다'로 시작하는 동요 〈태극기〉의 한 구절을 제목으로 내세운 「하늘 높이 아름답게」도 다시 부르는 노래의 일종으로 볼 수 있을까. 이 소설이 공들여 묘사하고 있는 마리아, 팔리지도 않는 태극

---

3) "그날 삼겹살을 구워먹고 소주를 마시며 부영이 〈북한강에서〉라는 노래를 했던가. 노래에 맞춰 정원이 기괴한 춤 동작을 했던가", 26쪽.

기를 팔러 다니는 일을 죽을 때까지의 은밀한 기쁨으로 간직했던 마리아, 펄럭이는 깃발의 태극 무늬와 검은 괘의 점선들을 보며 불가해한 아름다움에 전율했던 마리아, 국가와 가족의 필요에 따라 자기 인생의 일부를 헌납해야 했지만 그 과정에서 겪은 모든 고통을 자기 탓으로 돌리고 있지도 않은 빚을 만들어 갚느라 나머지 인생 전부를 주변 사람들을 위해 헌신했던 성스러운 마리아는 한편으로는 동요 〈태극기〉를 그들 나름의 방식으로 다시 부른 이른바 '태극기 부대'에 속하는 어떤 세대를 연상시키면서도 다른 한편으로 그들에게 함부로 끼얹어졌을 혐오의 시선을 다시 돌아보게 만든다. 국가 폭력에 대한 열망과 인종忍從으로 너무 쉽게 돌변하는 애국심의 노래가 마리아의 삶을 거치며 함부로 평가될 수 없거나 어쩌면 고귀하다고 해야 할지도 모를 음조로 다시 불린다. 그 고귀한 음조로 다시 불릴 수도 있었을 노래를 "조금도 믿지 않으면서 (……) 허튼소리들을 내뱉은 것"(113쪽)을 두고 베르타는 자신을 포함한 모두가 "참 고귀하지를 않다, 전혀 고귀하지를 않구나 우리는……"(114쪽)이라고 못박는다. 마리아에 대한 성당 사람들의 평가와 성당 사람들과 자신에 대한 베르타의 평가가 계속해서 다시 쓰여졌던 것처럼 우리들도 저 〈태극기〉를 둘러싼 전혀 고귀하지를 않은 음조들을 다른 가락으로 바꿔 불러볼 수 있을까?

노래는, 표현력이 강한 발성과 기쁨과 슬픔을 담은 곡선들 그리고 지나갔다가도 되돌아오고 희미해졌다가도 강렬해지는 파동

들로 이루어져, 언어로 결정화할 수 없는 것들에 대한 갈망과 의미를 초과하여 범람하는 정동에 대한 탐색이 된다. 흘러간 옛 노래는, 단지 예전에는 인기를 구가했으나 이제는 유행이 지나버린 노래인 것만이 아니고, 우리가 그때는 미처 준비되어 있지 않았기 때문에 제대로 음미할 수 없었던 갈망과 탐색을 우리 대신에 오래 기억하고 곱씹고 있다가 결국에 가서는 우리가 그것을 다르게 다시 부를 수 있게 만들어주는 영혼의 보조 기관이기도 하다. 혹은 나중에 다시 부르게 될 다른 음조가 흘러간 옛 노래에 이미 들어 있었다는 것을 우리는 나중에 가서야 알게 될 것이다.

그런 이유로 『각각의 계절』은 흘러간 옛 노래를 끌어들이는 것일까? 일반적인 경우라면 소설은, 저 개인적이고 은밀한 갈망과 탐색을, 도무지 현실적인 이야기로는 포착하기 어려운 '언어로 결정화되지 않는 것들'과 '의미를 초과하는 정동'을, 객관적인 현실 세계와 연결시키고 논리와 인과의 관계망으로 정리하려 들기 때문에 결국에 가서는 노래에서 벗어나는 것인지도 모른다.[4] 하지만 평범한 언어로는 도무지 포착할 수 없는 일상의 미묘하고도 미세한 영역들을 더듬고 묘사하면서 거기에서 시간의 흐름을 뒤집어 놓기에 이를 만큼 격렬한 정동이 범람하게 만드는 권여선의 내러

---

4) 언어의 결정화를 초과하는 것으로 노래를 이해하면서 서사와 대비시키는 구도는 쥘리아 크리스테바, 『사랑의 역사』, 김인환 옮김, 민음사, 2008, 382, 384, 394쪽 참조.

티브는, 소설 속 한 요소로 노래를 활용하고 있다기보다 '이야기로
된 노래'가 되어가는 것만 같다. 이야기로 만들어진 '노래'인 동시
에 '이야기'가 된 노래가. 우리가 이 '이야기-노래'를 따라 부를 수
있을까? 그러면서 우리의 무엇인가를 다시 쓸 수 있을까? 그 답은
'의젓한 사슴벌레식 문답'에 이미 제시되어 있는 것 같다.

| 수록 작품 발표 지면 |

사슴벌레식 문답 …… 『에픽』 2022년 10/11/12월호

실버들 천만사 …… 『창작과비평』 2020년 여름호

하늘 높이 아름답게 …… 『릿터』 2018년 10/11월호

무구 …… 『대산문화』 2019년 여름호

깜빡이 …… 웹진 비유 2022년 2월호

어머니는 잠 못 이루고 …… 『들어본 이야기』(미디어창비, 2020)

기억의 왈츠 …… 『여덟 편의 안부 인사』(강, 2021)

문학동네 소설집

각각의 계절
ⓒ권여선 2023

1판 1쇄 2023년 5월 7일
1판 13쇄 2024년 8월 23일

지은이 권여선
책임편집 김내리 | 편집 김도영 오윤
디자인 김이정 유현아 | 저작권 박지영 형소진 최은진 오서영
마케팅 정민호 서지화 한민아 이민경 안남영 왕지경 정경주 김수인 김혜원 김하연
      김예진
브랜딩 함유지 함근아 박민재 김희숙 이송이 박다솔 조다현 정승민 배진성
제작 강신은 김동욱 이순호 | 제작처 천광인쇄사

펴낸곳 (주)문학동네 | 펴낸이 김소영
출판등록 1993년 10월 22일 제2003-000045호
주소 10881 경기도 파주시 회동길 210
전자우편 editor@munhak.com | 대표전화 031) 955-8888 | 팩스 031) 955-8855
문의전화 031) 955-2696(마케팅) 031) 955-8864(편집)
문학동네카페 http://cafe.naver.com/mhdn
인스타그램 @munhakdongne | 트위터 @munhakdongne
북클럽문학동네 http://bookclubmunhak.com

ISBN 978-89-546-9252-6 03810

잘못된 책은 구입하신 서점에서 교환해드립니다.
기타 교환 문의: 031) 955-2661, 3580

www.munhak.com